LE MERVEILLEUX VOYAGE
DE NILS HOLGERSSON

SELMA LAGERLÖF

LE MERVEILLEUX VOYAGE DE NILS HOLGERSSON

Traduit du suédois
par Marc de Gouvernain et Lena Grumbach

Édition établie
par Anne-Laure Brisac

Certaines œuvres littéraires peuvent, par leur ampleur, sembler difficilement accessibles à de jeunes lecteurs. Ni adaptation ni résumé, ce livre propose une version abrégée du texte original : les coupures y sont effectuées de manière à laisser intacts le ton et le style de l'auteur.

1

Le garçon

Le tomte[1]

Dimanche 20 mars.

Il était une fois un garçon. Âgé d'environ quatorze ans, il était grand et dégingandé[2] et ses cheveux étaient blonds comme le lin. Il ne valait pas grand-chose : son plaisir, c'était dormir et manger, sans compter qu'il aimait faire des bêtises.

On était dimanche matin et les parents de ce garçon se préparaient pour aller au temple. Le garçon, quant à lui, était assis en bras de chemise au coin de la table et pensait à la chance qu'il avait : son père

---

1. Petit nain des légendes scandinaves, lutin.
2. Comme un enfant grandi trop vite.

et sa mère partis, il serait tranquille pour quelques heures. « Je vais pouvoir décrocher le fusil de papa et l'essayer une ou deux fois sans que personne s'en mêle », se disait-il en lui-même.

Mais ce fut presque comme si le père avait deviné les pensées du garçon car, alors qu'il franchissait le seuil pour s'en aller, il s'arrêta et se retourna.

« Puisque tu ne veux pas venir à l'église avec ta mère et moi mais préfères rester ici, dit-il, il me semble que tu pourrais au moins en profiter pour lire le sermon[1]. Quand je serai rentré je t'interrogerai sur chaque page, et gare à toi si tu en as sauté une.

— Le sermon fait quatorze pages et demie, dit sa mère, comme pour en rajouter. Il vaudrait mieux que tu t'installes tout de suite, que tu aies le temps de tout lire. »

Là-dessus ils finirent quand même par s'en aller, et le garçon qui s'était avancé jusqu'à la porte pour les regarder partir sentait qu'il avait été pris au piège. « En ce moment, ils sont sûrement en train de se féliciter d'avoir si bien arrangé les choses, et de m'avoir obligé à courber la tête sur ce sermon tant qu'ils seront partis », pensait-il.

Mais père et mère ne se félicitaient mutuellement de rien du tout, ils étaient plutôt tristes. La maison leur appartenait, certes, mais ils ne possédaient comme terre qu'un lopin guère plus grand qu'un jar-

---

1. Discours prononcé par le pasteur au temple.

din potager. Quand ils s'étaient installés là on ne pouvait y élever qu'un cochon et quelques poules, mais ces gens étaient exceptionnellement énergiques et courageux et, aujourd'hui, ils possédaient en outre des vaches et quelques oies. Leur sort s'était considérablement amélioré et, par cette belle matinée, ils auraient rejoint le temple contents et satisfaits si leur fils ne les avait pas énormément préoccupés. Le père lui reprochait sa paresse et sa lenteur : le garçon n'avait rien voulu apprendre à l'école et était un tel bon à rien que c'était tout juste si on pouvait le laisser garder les oies. Et la mère ne contredisait aucun de ces points mais ce qui la chagrinait surtout, c'était son caractère emporté et méchant, sa dureté envers les animaux et sa méchanceté envers les gens.

« Que Dieu brise sa méchanceté et lui donne un autre caractère ! » dit-elle.

Le garçon s'accorda avec lui-même pour penser que cette fois-ci il valait mieux obéir. Il s'installa dans le fauteuil du presbytère et commença à lire. Mais lorsqu'il eut passé un moment à prononcer machinalement les mots à mi-voix, il se rendit compte que le murmure l'endormait et qu'il plongeait du nez.

Dehors, c'était la plus belle des journées printanières. On n'était encore qu'au vingt du mois de mars mais le garçon habitait dans la commune de Västra Vemmenhög, tout au sud de la Scanie, où le printemps battait déjà son plein. Ce n'était pas encore la grande verdure, mais une fraîcheur, des bourgeons. L'eau coulait dans tous les fossés. La forêt de hêtres tout au bout là-bas semblait gonfler, se faire d'instant en instant plus lourde. Le ciel était haut et du bleu le plus pur. La porte de la maisonnette était entrouverte et, de l'intérieur, on entendait les trilles[1] des alouettes. Les poules et les oies étaient sorties dans la cour et les vaches, respirant les effluves du printemps jusque dans leur étable, lançaient de temps en temps un meuglement.

Le garçon, lui, lisait et plongeait du nez et luttait contre le sommeil. « Non, se disait-il, il ne faut pas que je m'endorme, sinon jamais je n'aurai le temps de lire ça ce matin. »

Mais rien n'y fit, et il s'endormit.

Il n'aurait su dire combien de temps il avait dormi mais un léger bruit dans son dos l'avait réveillé.

Juste en face du garçon, sur le rebord de la fenêtre, était posé un petit miroir, dans lequel presque toute la pièce se reflétait. Au moment où le garçon leva la tête, ses yeux rencontrèrent le miroir, et il s'aperçut qu'on avait ouvert le couvercle du coffre de sa mère. Maman y rangeait tout ce qu'elle avait hérité de sa propre mère et auquel elle tenait tout particulièrement. Sachant le garçon seul à la maison, jamais elle n'aurait laissé le coffre ouvert.

---

1. Chants légers.

Il se sentit mal à l'aise. Il avait peur : un voleur s'était peut-être introduit dans la maison ? Il n'osait pas bouger. Il resta immobile, les yeux fixés sur le miroir.

Tandis qu'il attendait ainsi sans bouger que le voleur voulût bien se manifester, il commença à se demander ce qu'était cette ombre noire qui tombait sur le bord du coffre. Il regarda et regarda encore mais il ne voulut pas en croire ses yeux. Car ce qui au début avait eu l'air d'une ombre était devenu de plus en plus net et, bientôt, il lui fallut admettre qu'il s'agissait de quelque chose de réel. Un tomte, oui, un tomte, était assis à califourchon sur le bord du coffre.

Le garçon avait bien sûr déjà entendu parler des tomtes, mais jamais il n'avait imaginé qu'ils puissent être si petits. Celui qui était assis sur le bord du coffre n'était pas plus haut que la largeur d'une main. Son visage était vieux, ridé, imberbe[1], et il était vêtu d'un long manteau noir, d'une culotte courte et d'un chapeau noir à large bord. Il faisait très propret et soigné avec ses dentelles blanches autour du cou et des poignets, des boucles sur ses souliers et des jarretiè-res[2] nouées en rosettes. Il avait sorti du coffre un plastron[3] brodé et admirait l'ouvrage d'autrefois avec

---

1. Sans barbe.
2. Cordons qui permettent d'attacher le bas ou la chaussette à la jambe.
3. Pièce de tissu que l'on place sur la poitrine.

un tel recueillement qu'il ne remarqua pas que le garçon s'était réveillé.

Le garçon fut plutôt étonné de voir là ce tomte, mais il n'eut pas particulièrement peur. Comment avoir peur de quelqu'un d'aussi petit ? Et comme ce tomte paraissait si absorbé par ses affaires qu'il en avait perdu la vue et l'ouïe, le garçon se dit qu'il serait amusant de lui jouer un tour : de le bousculer dans le coffre et refermer le couvercle sur lui ou quelque chose de ce genre.

Mais le garçon n'était quand même pas suffisamment courageux pour toucher le tomte de ses mains, et il chercha des yeux quelque chose dans la maison qui pourrait lui servir à le pousser. Son regard tomba sur un vieux filet à mouches suspendu dans l'encoignure[1] de la fenêtre.

À peine avait-il aperçu le filet qu'il l'attrapa, se leva d'un bond et le fit glisser le long du coffre. Et lui-même fut surpris de sa chance. Il n'aurait su dire comment il y était arrivé mais le tomte était pris. Le pauvre gigotait au fond du filet, la tête en bas, et incapable de s'en sortir.

Il se mit à parler et le supplia de toute son âme de le relâcher. Depuis des années il leur rendait de bons services et il méritait meilleur traitement. Si le garçon le relâchait, il lui offrirait une vieille rixdale[2], une

---

1. Endroit où la fenêtre rejoint le mur.
2. Ancienne monnaie en argent.

cuillère en argent et une pièce d'or, aussi grande que le boîtier de la montre de gousset en argent de son père.

Le garçon se rendait compte qu'il venait de s'attaquer à quelque chose d'inconnu et de terrible qui n'appartenait pas à son monde à lui, et il n'avait qu'une envie, se débarrasser de cette diablerie.

Il accepta donc immédiatement l'offre et arrêta d'agiter le filet pour permettre au tomte de remonter. Mais lorsque le tomte fut presque sorti du filet, l'idée vint au garçon qu'il aurait au moins dû demander au tomte de lui faire entrer le sermon dans la tête à l'aide de quelque sortilège. « Que je suis bête de le laisser filer ! » pensa-t-il et il se remit à secouer le filet pour faire basculer le tomte au fond.

Mais au moment même où le garçon commençait cela, il reçut une gifle si épouvantable qu'il crut que sa tête allait éclater. Il alla heurter un mur, puis un autre et, pour finir, il s'écroula par terre, où il resta étendu sans connaissance.

Quand il revint à lui, il se trouvait seul dans la maison et ne voyait pas trace du tomte. Le couvercle du coffre était fermé et le filet à mouches suspendu à sa place habituelle contre la fenêtre. S'il n'avait pas encore ressenti sur sa joue droite la brûlure de la gifle, il aurait été tenté de croire que tout cela n'avait été qu'un rêve. « En tout cas, papa et maman ne manqueront pas de dire que c'en était un, pensa-t-il.

Et ils n'abrégeront pas le sermon pour cause de tomte. Il vaut mieux que je me remette à la lecture. »

Mais lorsqu'il voulut se diriger vers la table, il remarqua quelque chose d'étrange. La maison ne pouvait pas avoir grandi comme ça ! Mais alors, pourquoi fallait-il beaucoup plus de pas que d'habitude pour arriver à la table ? Et qu'était-il arrivé au fauteuil ? Il n'avait pas l'air plus grand que tout à l'heure, mais pour atteindre le siège il lui fallut d'abord se hisser sur la barre transversale entre les pieds. Et même chose pour la table. Impossible de regarder sur la table s'il ne montait pas d'abord sur l'accoudoir.

« Mais, bon sang, qu'est-ce que tout cela signifie ? s'exclama le garçon. Si je comprends bien, le tomte a ensorcelé le fauteuil et la table et la maison tout entière. »

Le sermonnaire[1] était posé sur la table, apparemment identique à lui-même, mais là encore les choses étaient absurdes, car le garçon n'arrivait pas à lire un seul mot du texte s'il ne se mettait pas debout dessus.

Il lut quelques lignes mais ensuite, par hasard, il leva les yeux. Et, comme son regard tomba droit sur le miroir, il cria très fort :

« Hé, mais c'est qu'il y en a un autre ! »

Car dans le miroir, très distinctement, il voyait un

---

1. Livre qui contient plusieurs sermons.

petit, petit gamin vêtu d'un bonnet pointu et d'une culotte de cuir.

« Celui-là, il est habillé exactement comme moi ! » dit le garçon, si étonné qu'il claqua ses mains l'une contre l'autre. Et il vit le gamin du miroir faire la même chose.

Alors il se mit à se tirer les cheveux et à se pincer les bras et à tournicoter, et instantanément l'autre l'imitait, l'autre dans le miroir.

Plusieurs fois le garçon fit le tour du miroir en courant pour voir s'il y avait un petit gamin caché derrière. Mais il ne découvrit personne et bientôt se mit à trembler de terreur. Car il comprenait maintenant que le tomte l'avait ensorcelé et que le gamin qu'il voyait se refléter dans le miroir, c'était lui-même.

Les oies sauvages

« Je dois être en train de rêver ou de délirer, pensa-t-il. Dans quelques instants je serai redevenu un être humain. »

Il s'avança devant le miroir et ferma les yeux pour ne les rouvrir qu'au bout de quelques minutes, certain qu'alors tout serait normal. Mais ce ne fut pas le cas, il était et restait aussi petit. À part cela il se trouvait exactement le même qu'avant. Les cheveux blond filasse[1] et les taches de rousseur sur le nez et

---

1. Fade, sans éclat.

les pièces sur la culotte de cuir et la chaussette raccommodée, tout était pareil, à part que ça avait rétréci.

Il fallait trouver une solution. La plus sage était probablement de retrouver le tomte et de se réconcilier avec lui.

Il sauta par terre et commença à chercher. Il regarda derrière des chaises et des armoires et sous la banquette à couvercle et dans le four. Il se glissa même dans quelques trous de souris, mais impossible de retrouver ce tomte.

Tout en cherchant, il pleurait et priait et promettait tout ce qu'on peut imaginer. Plus jamais il ne manquerait à sa parole envers quelqu'un, plus jamais il ne serait méchant, plus jamais il ne s'endormirait au milieu du sermon. Pourvu seulement qu'il pût redevenir humain et il serait le meilleur des garçons, le plus gentil et le plus obéissant. Mais il avait beau promettre, c'était peine perdue.

Tout à coup, il se souvint que maman avait dit que le peuple des petits habitait souvent dans les étables, et sans tarder il décida d'y aller voir s'il retrouvait le tomte. Il chercha ses sabots, puisque à l'intérieur il marchait évidemment en chaussettes. Il se demandait comment il allait se débrouiller avec ses gros sabots lourds lorsqu'il vit une paire de petits sabots qui l'attendaient sur le seuil. Mais quand il comprit que le tomte avait poussé la sollicitude[1] jusqu'à lui transformer aussi ses sabots, il n'en fut que plus inquiet. Apparemment, ce désastre était prévu pour durer longtemps.

Un moineau sautillait sur la vieille planche en chêne posée sur le seuil devant la porte. À peine vit-il le garçon qu'il se mit à pépier très fort :

« Tuit ! Tuit ! Regardez Nils le gardeur d'oies ! Regardez ce petit Poucet ! Regardez Nils Holgersson Poucet ! »

Immédiatement, les oies et les poules tournèrent leurs yeux vers le garçon, et ce furent des caquètements épouvantables.

« Cocorico, cria le coq, c'est bien fait pour lui. Cocorico, il m'a tiré la crête. »

« Cot, cot, cot, c'est bien fait pour lui », crièrent les poules qui continuèrent ainsi comme si elles n'avaient plus voulu s'arrêter.

Dans l'histoire, le plus étrange c'était que Nils comprenait ce que tous disaient. Il en fut si étonné qu'il s'arrêta sur le pas de la porte et écouta. « Ça doit être parce que j'ai été transformé en tomte, se dit-il, c'est sûrement pour ça que je comprends la voix des oiseaux. »

Mais comme il ne supportait pas d'entendre les poules répéter que c'était bien fait pour lui, il leur jeta une pierre en criant :

---

1. Intérêt ou affection pour quelqu'un.

« Taisez-vous, volatiles de malheur ! »

Mais les poules le poursuivirent, et en criant si fort qu'il faillit en devenir sourd. Il ne leur aurait sans doute jamais échappé si le chat de la maison n'était pas arrivé. Dès que les poules l'aperçurent, elles se turent et firent comme si elles n'avaient d'autre idée en tête que de gratter le sol pour y trouver des vers.

Le garçon courut immédiatement auprès du chat.

« Mon Minou chéri, dit-il, tu dois connaître tous les coins et recoins de la ferme. S'il te plaît, il faut que tu me dises où je pourrai trouver le tomte. »

Le chat ne répondit pas tout de suite. Il se coucha, ramena soigneusement sa queue devant ses pattes et dévisagea le garçon.

« C'est vrai, je sais où habite le tomte, dit-il d'une voix suave, mais il n'est pas certain que j'aie envie de te le dire. Devrais-je t'aider pour toutes les fois où tu m'as tiré la queue ? »

Alors le garçon se fâcha et oublia complètement sa petite taille et son impuissance.

« Je vais te la tirer encore une fois, moi, tu vas voir ! » dit-il en se précipitant sur le chat.

En une seconde le chat se transforma. Le moindre poil de son corps était dressé, le dos était arqué, les griffes raclaient le sol, les oreilles étaient couchées en arrière, et comme un feu brillait dans ses yeux grands ouverts.

Le garçon n'avait pas l'intention de se laisser effrayer par un chat, et il fit un nouveau pas en avant.

Mais alors le chat bondit, atterrit droit sur le garçon, le renversa par terre et resta au-dessus de lui, les pattes avant écrasant sa poitrine et la gueule ouverte contre sa gorge.

Le garçon sentit les griffes passer à travers son gilet et sa chemise et pénétrer dans sa peau, sentit les canines acérées[1] lui chatouiller la gorge. De toutes ses forces il appela au secours.

Mais personne ne vint, et il sut que sa dernière heure était arrivée. Alors, il sentit que le chat rentrait ses griffes et relâchait la menace sur sa gorge.

« Bon, dit-il, maintenant ça suffit. Je te laisse pour cette fois à cause de notre maîtresse. Je tenais simplement à ce que tu saches qui de nous deux détient le pouvoir désormais. »

Sur ce, il s'en alla. Le garçon se sentait si honteux qu'il ne dit pas un mot mais se hâta de gagner l'étable pour y chercher le tomte.

Trois vaches seulement s'y trouvaient. Mais à l'entrée du garçon elles poussèrent de tels meuglements et firent un tel vacarme qu'on aurait dit qu'elles étaient au moins trente.

« Meuh, meuh, meuh, meuglait Rose de Mai. Qu'il est bon de savoir qu'il existe une justice en ce monde. »

Le garçon voulait s'enquérir[2] du tomte, mais

---

1. Pointues et aiguisées.
2. Poser des questions (ici : pour retrouver le tomte).

impossible de se faire entendre tant leur agitation était grande. Elles donnaient des coups de leurs pattes arrière, secouaient leurs colliers, tournaient la tête, prêtes à donner des coups de corne.

« Approche, et tu verras ce que je sentais quand tu me balançais ton sabot dessus, comme tu le faisais l'été dernier ! rugit Étoile.

— Viens ici que je te rembourse la guêpe que tu m'as lâchée dans l'oreille ! hurla Lys d'Or.

— Viens me voir, dit Rose de Mai, que je puisse te faire payer toutes les fois où tu as renversé le tabouret de ta mère quand elle trayait, et pour tous les croche-pieds que tu lui as faits quand elle passait avec le seau plein de lait, et pour toutes les larmes qu'elle a pleurées ici pour toi. »

Le garçon voulut dire qu'il regrettait d'avoir été méchant envers elles, et qu'à l'avenir il serait toujours gentil, si seulement elles lui disaient où se trouvait le tomte. Mais les vaches ne l'écoutaient pas. Elles se démenaient tant qu'il eut peur que l'une d'elles réussît à se dégager, et il estima préférable de se retirer discrètement de l'étable.

Une fois dehors, le découragement l'assaillit. Il se rendait compte que personne dans la ferme ne serait prêt à l'aider à retrouver le tomte. Et qu'il ne servirait probablement pas à grand-chose de le trouver.

Il était profondément malheureux. Personne au monde n'était aussi malheureux que lui. Il n'était plus un être humain, mais un monstre.

Et, progressivement, il se rendait compte de ce que cela signifiait de ne plus être un humain. Désormais il était à l'écart de tout : il ne pourrait plus jouer avec d'autres garçons, il ne pourrait plus reprendre la ferme après ses parents, et il ne pourrait certainement pas trouver de jeune fille qui accepterait de l'épouser.

Le temps était merveilleusement beau. Autour de lui, tout clapotait, bourgeonnait et gazouillait. Mais le chagrin qui l'affligeait était énorme. Jamais plus il ne se réjouirait de quoi que ce soit.

Jamais il n'avait vu le ciel aussi bleu qu'aujourd'hui. Et des oiseaux migrateurs le parcouraient. Venus de l'étranger, ils avaient traversé la mer Baltique et se dirigeaient droit vers le nord. Il y en avait de toutes les espèces mais il ne savait reconnaître que les oies sauvages, qui volent en deux longues lignes se rejoignant en pointe.

Plusieurs bandes d'oies sauvages étaient déjà passées. Elles volaient haut dans le ciel mais il les entendait quand même crier :

« Nous montons vers les montagnes du nord. Nous montons vers les montagnes du nord. »

Quand les oies sauvages aperçurent les oies domestiques qui se promenaient dans la cour, elles se rapprochèrent du sol pour les appeler.

« Venez ! Venez ! Nous montons vers les montagnes du nord. »

Les oies domestiques ne purent s'empêcher de

dresser la tête et d'écouter. Mais elles répondirent tout à fait raisonnablement :

« Nous sommes bien là où nous sommes. Nous sommes bien là où nous sommes. »

La journée, donc, était fabuleusement belle, et ce devait être un formidable plaisir que de voler dans cet air si frais et si léger.

Il y avait un jeune jars[1] à qui les appels des oies sauvages avaient donné une véritable envie de voyager.

« S'il en passe encore une bande, je m'en vais avec elles », dit-il.

Et bientôt une nouvelle bande arriva et appela comme les autres. Et, cette fois, le jeune jars répondit :

« Attendez-moi ! Attendez-moi ! J'arrive. »

Il étendit ses ailes et s'éleva dans l'air, mais il était si peu habitué à voler qu'il retomba par terre.

Les oies sauvages, cependant, devaient avoir entendu ses cris car elles firent demi-tour et repassèrent lentement pour voir s'il venait vraiment.

« Attendez-moi ! Attendez-moi ! » cria-t-il en faisant une nouvelle tentative.

Allongé sur le muret, le garçon écoutait tout cela. « Ce serait bien dommage, pensa-t-il, si le grand jars nous quittait. Papa et maman seraient terriblement

---

1. Oie mâle.

malheureux s'ils ne le trouvaient pas en rentrant du temple. »

Et, tandis qu'il pensait cela, il oublia une nouvelle fois sa taille et son impuissance. Il bondit droit dans le troupeau d'oies et jeta ses bras autour du cou du jars.

« Toi, il n'est pas question que tu t'en ailles ! » cria-t-il.

Mais à ce moment précis le jars venait de découvrir la manière de s'élever du sol. Il fut incapable, par contre, de s'arrêter pour faire tomber le garçon, et celui-ci dut l'accompagner dans les airs.

Le décollage fut si rapide que le garçon en eut le vertige. Et avant même d'avoir l'idée de lâcher le cou du jars, il se trouva si haut que toute chute aurait signifié la mort.

Tout ce qu'il pouvait faire pour améliorer sa situation, c'était d'essayer de rejoindre le dos du jars. Ce qu'il entreprit comme il put mais non sans peine. De même qu'il eut du mal à se maintenir sur le dos glissant entre les deux ailes qui battaient l'air. Il dut plonger profondément ses mains dans les plumes et le duvet et s'y agripper pour ne pas glisser vers l'abîme.

Le garçon fut perdu pendant un moment tant la tête lui tournait. L'air sifflait et chuintait à ses oreilles, les ailes battaient, les plumes frappaient l'air en un véritable mugissement de tempête. Treize oies volaient autour de lui, battant l'air à grands coups d'ailes et criant tant et plus. Tout ondulait devant ses yeux et ça bourdonnait dans ses oreilles.

Enfin il retrouva suffisamment ses esprits pour comprendre qu'il lui fallait savoir où les oies l'emmenaient ainsi. Mais ce n'était pas si simple que ça car il se sentait incapable de regarder en bas, il savait que le vertige l'attendait s'il essayait.

Les oies sauvages ne volaient pas très haut puisqu'elles savaient leur nouveau compagnon de route incapable de respirer dans l'air raréfié. Pour lui aussi, elles volaient un peu moins vite que d'habitude.

Au bout d'un moment, le garçon se força quand même à jeter un coup d'œil en bas. Et il découvrit qu'au-dessous de lui on avait étalé une grande nappe, divisée en une quantité incroyable de carreaux, petits et grands.

« Où diable suis-je donc arrivé ? » se demanda-t-il.

Il ne voyait rien d'autre que cet assemblage de carreaux. Certains étaient de travers et certains en longueur, mais partout c'étaient des lignes droites et des angles nets.

« Qu'est-ce que c'est que cette étoffe à carreaux que je vois ? » marmonna le garçon sans attendre de réponse.

Mais les oies sauvages qui volaient à ses côtés crièrent tout de suite :

« Des champs et des prés. Des champs et des prés. »

Alors il comprit que cette grande étoffe à carreaux qu'il survolait était les terres plates de Scanie. Et il comprit pourquoi elle était si bariolée[1] et quadrillée. Tout d'abord, il reconnut les carreaux d'un vert intense : c'étaient les champs de seigle qu'on avait ensemencés l'automne dernier et qui étaient restés verts sous la neige. Les carreaux d'un jaune terne étaient des chaumes qu'on avait moissonnés l'été dernier, les bruns d'anciens champs de trèfle, et les noirs des champs à betteraves non cultivés ou des jachères[2] récemment labourées. Il y avait aussi des carreaux sombres avec du gris au milieu : c'étaient les grandes fermes bâties autour de la cour, avec leurs toits de chaume noircis et leurs cours pavées. Et des carreaux verts bordés de marron aussi : c'étaient les parcs, dont les pelouses reverdissaient déjà, tandis que les arbres n'avaient encore que leur écorce nue et marron.

Le garçon commençait à s'habituer au vol et à la vitesse et, n'étant plus obligé de penser uniquement à son équilibre sur le dos du jars, il put remarquer à quel point l'air était empli de vols d'oiseaux en route vers le nord.

---

1. Pleine de couleurs.
2. Terres laissées en friche, non cultivées.

Quand les oies survolaient une propriété où la volaille était sortie dans la basse-cour, elles criaient :

« Comment s'appelle votre ferme ? Comment s'appelle votre ferme ? »

Et un coq tendait le cou pour répondre :

« Notre ferme s'appelle Petit-champ, cette année comme l'an passé, cette année comme l'an passé. »

Un autre criait comme s'il avait voulu se faire entendre jusqu'au soleil :

« Ici, c'est le manoir de Dybeck. Cette année comme l'an passé. Cette année comme l'an passé. »

Le garçon remarqua que les oies ne volaient pas en ligne droite mais zigzaguaient de-ci, de-là, au-dessus de la plaine, apparemment contentes de se retrouver en Scanie et désireuses de dire bonjour à toutes les fermes.

Elles arrivèrent au-dessus de quelques gros bâtiments hérissés de longues cheminées et entourés de constructions plus petites.

« Ici, c'est la sucrerie de Jordberga, crièrent les coqs. La sucrerie de Jordberga. »

Assis sur le dos du jars, le garçon tressaillit. Il aurait dû la reconnaître. Elle était située non loin de chez lui et l'année précédente il y avait travaillé comme gardeur d'oies. Mais d'en haut comme ils l'étaient, rien ne devait se ressembler.

La sucrerie de Jordberga ! Et Åsa la gardeuse d'oies et le petit Mats qui avaient été ses camarades l'an passé ! Le garçon aurait bien aimé savoir s'ils y étaient encore. Qu'auraient-ils dit s'ils avaient su qu'il volait au-dessus de leurs têtes ?

Mais le plus grand plaisir des oies sauvages était de voler au-dessus d'oies domestiques. Elles volaient alors très lentement et les appelaient :

« Nous montons vers les montagnes du nord. Vous venez avec nous ? Vous venez avec nous ? »

Mais les oies domestiques répondaient :

« L'hiver n'est pas terminé ici. Vous êtes venues trop tôt. Retournez d'où vous venez ! Retournez d'où vous venez ! »

Les oies sauvages descendaient pour se faire mieux entendre et criaient encore :

« Venez, nous vous apprendrons à voler et à nager ! »

Ce qui vexait fort les oies domestiques qui ne répondaient pas même par un caquètement.

Mais les oies sauvages descendaient encore plus, jusqu'à frôler pratiquement le sol, puis brusquement remontaient en flèche, comme saisies de frayeur.

« Oh ! là ! là ! criaient-elles. Ce n'étaient pas des oies. Ce n'étaient que des moutons. Que des moutons. »

Celles d'en bas devenaient furieuses et criaient :

« Puissent les chasseurs vous abattre toutes tant que vous êtes, tant que vous êtes ! »

En entendant ces plaisanteries, le garçon riait. Puis il se rappelait dans quelle mauvaise posture il se trouvait, et il se mettait à pleurer. Mais tout de suite après il riait à nouveau.

Jamais auparavant il n'avait avancé à une telle vitesse. Et il n'avait bien sûr jamais imaginé qu'en haut l'air pouvait être aussi frais, si chargé de bonnes odeurs d'humus et de résine. Jamais non plus il n'avait imaginé ce que pouvait être un voyage si haut au-dessus du sol. C'était comme de quitter tous les soucis, les chagrins et tous les déboires[1] imaginables.

---

1. Ennuis.

2

Akka de Kebnekaïse

Le soir

Le grand jars domestique se sentait très fier de pouvoir suivre les oies sauvages dans les airs. Mais il avait beau essayer de respirer plus profondément, de battre plus rapidement des ailes, les autres restaient quand même plusieurs longueurs d'oies devant lui.

Lorsque celles qui volaient en dernier remarquèrent que le jars n'arrivait pas à suivre, elles appelèrent l'oie qui volait à la pointe du V de leur bande et qui guidait leur vol :

« Akka de Kebnekaïse !

— Qu'est-ce que vous me voulez ? demanda alors l'oie de tête.

— Le blanc prend du retard. Le blanc prend du retard.

— Dites-lui que c'est plus facile de voler vite que lentement ! » cria l'oie de tête sans ralentir l'allure.

Le jars essaya bien de suivre le conseil et d'accélérer, mais l'effort le fatigua à un tel point qu'il tomba jusque vers les boules des saules élagués qui bordaient les champs et les prés.

« Akka, Akka, Akka de Kebnekaïse ! crièrent alors les oies de queue voyant les difficultés du jars.

— Que me voulez-vous encore ? demanda l'oie de tête, apparemment irritée.

— Le blanc tombe vers le sol. Le blanc tombe vers le sol.

— Dites-lui qu'il est plus facile de voler haut que bas ! » cria l'oie de tête, sans ralentir le moins du monde mais lancée comme auparavant.

Le jars essaya de suivre ce nouveau conseil, mais quand il voulut s'élever, il fut si essoufflé qu'il sentit sa poitrine se rompre.

« Akka ! Akka ! crièrent celles qui volaient en queue.

— Mais vous ne pouvez pas me laisser voler tranquillement ! s'exclama l'oie de tête, terriblement agacée.

— Le blanc va s'écraser par terre. Le blanc va s'écraser par terre !

— Dites-lui que celui qui n'a pas la force de nous suivre n'a qu'à rentrer chez lui ! » cria l'oie de tête sans aucune intention de modifier son allure.

« Nous y voilà. C'est donc ça », pensa le jars, comprenant tout à coup que les oies sauvages n'avaient jamais eu l'intention de l'emmener avec elles jusqu'en Laponie.

Et il était furieux de sentir ses forces l'abandonner en ce moment où il aurait tant voulu montrer à ces vagabondes qu'une oie domestique était aussi capable de quelque chose. Et le plus vexant, c'était d'être tombé sur Akka de Kebnekaïse. Car tout jars de ferme fût-il, il avait entendu parler de cette oie chef de bande nommée Akka et âgée de plus de cent ans. Sa renommée était si grande que les meilleures oies sauvages se joignaient à elle. Mais personne ne nourrissait autant de mépris pour les oies domestiques qu'Akka et sa bande, et il aurait voulu leur montrer qu'il les valait.

Il volait lentement à la traîne en se demandant s'il allait faire demi-tour ou continuer quand le gamin qu'il portait sur son dos dit soudain :

« Mon cher Martin jars, dis-toi bien qu'il sera impossible pour toi qui n'as jamais volé auparavant de suivre les oies sauvages jusqu'en Laponie. Ne devrais-tu pas faire demi-tour avant d'être épuisé ? »

Mais si le jars détestait quelqu'un à la ferme, c'était bien ce gamin, et dès qu'il comprit que ce morveux[1] l'estimait incapable d'entreprendre le voyage, sa décision fut prise : il tiendrait le coup.

« Dis encore un mot là-dessus et je te précipite

1. Garçon mal élevé.

31

dans la première marnière[1] que nous survolerons ! »
dit-il, tandis que la rage lui redonnait de telles forces
qu'il se mit à voler presque aussi bien que les autres.

Il n'aurait certainement pas continué longtemps
ainsi, mais il n'eut pas à le faire car le soleil descendait rapidement et, dès qu'il se coucha, les oies
piquèrent droit vers le sol.

Le garçon se trouvait sur une étroite bande de
sable et, devant lui, s'étendait un assez grand lac, plutôt inquiétant puisque recouvert d'une croûte de
glace noircie, inégale et pleine de fissures et de trous
comme c'est souvent le cas pour la glace au printemps. Partout ailleurs le sol était nu mais sous les
branches basses la neige subsistait. Une neige qui
avait fondu puis regelé, fondu encore et regelé, si
bien qu'elle était dure comme de la glace.

Le garçon se sentait plongé dans un pays sauvage
et hivernal, et il aurait presque crié d'inquiétude.

Il avait faim. De toute la journée il n'avait rien
mangé. Mais où trouver de la nourriture ? Rien de
mangeable ne pousse par terre ou dans les arbres au
mois de mars.

Oui, où trouverait-il à manger, et chez qui logerait-
il, qui ferait son lit, qui l'inviterait près de son feu,
et qui le protégerait des animaux sauvages ?

Car le soleil avait disparu maintenant, et le froid
montait du lac et l'obscurité descendait du ciel, et la

---

1. Grande étendue d'argile.

terreur avançait sur les traces du crépuscule, et dans la forêt on commençait à entendre toutes sortes de bruissements et de craquements.

Alors il s'aperçut que le jars était encore plus mal en point que lui. Il gisait à l'endroit même où il avait atterri et semblait tout près de mourir. Son cou était mollement étendu par terre, ses yeux restaient clos et sa respiration n'était plus qu'un souffle.

« Mon cher Martin jars, dit le garçon, essaie de boire une gorgée d'eau ! Le lac est à moins de deux pas. »

Mais le jars ne fit pas un mouvement.

Le garçon, autrefois, avait sans conteste fait preuve de méchanceté envers tous les animaux, le jars y compris, mais maintenant il se disait que le jars était son seul soutien, et il avait terriblement peur de le perdre. Sans tarder, il se mit à le pousser et à le bousculer pour l'approcher de l'eau.

Le jars arriva dans le lac la tête la première. Un instant il resta allongé immobile dans la boue, mais bientôt il sortit le bec, secoua l'eau de ses yeux et s'ébroua. Puis il s'avança dans l'eau et s'éloigna en glissant fièrement entre les roseaux.

Il eut la chance d'apercevoir une petite perche[1]. Il l'attrapa vivement, nagea jusqu'à la rive et la déposa devant le garçon.

---

1. Petit poisson de rivière.

« C'est pour toi, pour te remercier de m'avoir aidé à atteindre l'eau », dit-il.

Pour la première fois depuis le début de la journée le garçon entendait un mot gentil. Et sa joie fut telle qu'il aurait sauté au cou du jars s'il l'avait osé. Et le cadeau lui plaisait aussi. Car même si sa première réaction avait été de penser qu'il était impossible de manger du poisson cru, il avait maintenant envie d'essayer.

Une fois rassasié, il se sentit honteux d'avoir ainsi mangé de la chair crue. « On voit bien que je ne suis plus un être humain mais un vrai tomte », se dit-il. Quand le garçon eut avalé le dernier morceau, le jars dit à voix basse :

« J'ai l'impression que nous sommes tombés sur une bande d'oies arrogantes[1] qui méprisent tout oiseau domestique. Quel honneur ce serait pour moi si je pouvais les suivre jusqu'en Laponie et leur montrer qu'une oie domestique ne manque pas de courage ! Mais je crois que je ne serai pas capable de me débrouiller seul tout au long d'une telle équipée et je voudrais te demander de venir avec moi, tu m'aiderais, tu sais.

— Je devrais retourner chez papa et maman, dit le garçon.

— Oui. Je te ramènerai chez eux quand viendra

_____

1. Insolentes, qui se croient supérieures.

34

l'automne, dit le jars. Je ne te quitterai pas avant de t'avoir déposé sur le seuil de ta maison. »

Maintenant que le jars observait les oies sauvages, il se sentait mal à l'aise. Il les avait imaginées très semblables aux oies domestiques, avec beaucoup d'affinités entre lui et elles. Mais elles étaient beaucoup plus petites que lui et aucune n'était blanche, toutes étaient grises avec des moirures[1] brunes. Et il eut presque peur de leur regard. Leurs yeux étaient jaunes et brillaient comme si un feu avait brûlé à l'intérieur. Elles ne marchaient pas, elles couraient presque. Leurs pieds étaient larges, avec des soles usées et déchirées. On voyait que les oies sauvages ne se souciaient pas de l'endroit où elles posaient leurs pieds. Elles ne contournaient pas les obstacles. À part cela, elles étaient très soignées et très propres.

À ce moment-là les oies s'approchèrent et, dès qu'elles se furent arrêtées devant eux, elles inclinèrent le cou plusieurs fois de suite ; le jars fit de même, plus de fois encore. Puis, lorsque les salutations furent terminées, l'oie meneuse dit :

« Maintenant, nous aimerions savoir qui vous êtes.

— Je suis né à Skanör au printemps dernier. À l'automne j'ai été vendu à Holger Nilsson de Västra Vemmenhög, et je n'ai pas bougé de là depuis, dit le jars.

— Tu sembles bien incapable de te réclamer de

---

1. Fines traces de couleur.

35

quelques ancêtres de valeur, dit l'oie meneuse. D'où te vient donc cette prétention de te joindre aux oies sauvages ?

— Peut-être parce que j'aimerais vous montrer, à vous les oies sauvages, que nous autres oies domestiques sommes aussi bonnes à quelque chose, dit le jars.

— Effectivement, il serait intéressant que tu nous le montres, dit l'oie meneuse. Nous avons déjà vu tes aptitudes[1] au vol, mais peut-être es-tu plus doué pour un autre sport. Serais-tu un excellent nageur ?

— Non, je ne revendiquerais pas cela, dit le jars qui croyait sentir l'oie meneuse décidée à le renvoyer et, par conséquent, ne se souciait pas des réponses à lui donner. Je n'ai jamais nagé plus que d'un bord à l'autre d'une mare, ajouta-t-il.

— En ce cas, permets-moi de supposer que tu es un grand champion à la course, dit l'oie.

— Jamais je n'ai vu courir une oie domestique, et jamais non plus je ne l'ai fait », répondit le jars.

Le grand blanc était maintenant certain que l'oie meneuse allait lui annoncer qu'il n'était pas question de l'emmener. Aussi fut-il très étonné lorsqu'elle dit :

« Tu réponds avec courage aux questions, et qui est courageux peut devenir un excellent compagnon de voyage, si ignorant soit-il au début. Que dirais-tu

---

1. Capacités de faire quelque chose.

de rester quelques jours en notre compagnie, pour que nous puissions juger ta valeur ?

— Ce serait pour mon plus grand plaisir », dit le jars, ravi.

Là-dessus, l'oie meneuse tendit le bec et demanda :

« Mais qui est celui-là qui t'accompagne ? Jamais encore je n'ai rien vu de semblable.

— C'est mon ami, dit le jars. Toute sa vie il a été gardeur d'oies. Il pourra certainement se rendre utile au cours du voyage.

— Comment l'appelles-tu ?

— Il s'appelle Poucet, finit par dire le jars.

— Est-il de la famille des tomtes ? demanda l'oie meneuse.

— Vers quelle heure vous couchez-vous d'habitude, vous les oies sauvages ? demanda prestement le jars pour essayer d'éviter de répondre à la dernière question. À cette heure-ci mes yeux se ferment tout seuls. »

L'oie qui parlait avec le jars était très âgée. Le temps, néanmoins, n'avait su dompter ses yeux. Ils étaient plus brillants, comme plus jeunes que les yeux de n'importe quelle oie.

Elle regardait maintenant le jars d'un air hautain.

« Jars, sache que je suis Akka de Kebnekaïse, et que l'oie qui vole à ma droite est Yksi de Vassijaure, et celle à ma gauche Kaksi de Nuola ! Sache aussi que la deuxième oie à droite est Kolme de Sarjektjåkko, et la deuxième oie à ma gauche Neljä de Svappavaara, et que derrière elles volent Viisi des monts d'Ovik et Kuusi de Sjangeli ! Et sache que celles-ci, tout comme les six oisons qui volent en queue, trois à droite et trois à gauche, sont toutes des oies des montagnes, descendantes des meilleures lignées ! Ne nous prends pas pour des vagabondes qui fraieraient[1] avec n'importe qui, et ne t'imagine pas que nous partagerons notre gîte avec quelqu'un qui refuse de dire ses origines. »

Lorsque le garçon entendit Akka, l'oie meneuse, parler ainsi, il fit rapidement un pas en avant. D'entendre le jars parler si franchement de lui-même mais donner une réponse évasive à son sujet l'avait désolé.

« Je m'appelle Nils Holgersson, dit-il, je suis le fils d'un petit tenancier[2] et jusqu'à aujourd'hui j'ai été humain, mais ce matin... »

Il n'arriva pas plus loin. Dès qu'il dit qu'il était un être humain, l'oie meneuse recula de trois pas et les autres de plus encore. Et toutes tendirent le cou et sifflèrent méchamment dans sa direction.

« Je l'ai soupçonné dès le moment où je t'ai vu sur la plage, dit Akka. Et maintenant, tu dois t'en aller immédiatement. Nous ne supportons pas d'humains parmi nous.

---

1. Frayer avec quelqu'un : fréquenter.
2. Personne qui s'occupe d'une petite ferme.

— On imagine mal, dit le jars conciliant, que vous autres oies sauvages ayez peur d'un être si petit. Il rentrera chez lui demain, mais vous devez le laisser passer la nuit ici avec nous. Comment pourrions-nous abandonner seul un pauvret[1] comme lui quand dans la nuit la belette et le renard rôdent ? »

L'oie sauvage se rapprocha, mais on voyait qu'elle avait du mal à maîtriser sa peur.

« On m'a enseigné à craindre tout ce qui est homme, grand ou petit, dit-elle. Mais si toi, le jars, tu veux te porter garant[2] de celui-ci, et si tu promets qu'il ne nous fera aucun mal, j'accepte de le laisser parmi nous cette nuit. Mais tu me jures que demain il rentrera chez lui.

— Dans ce cas, je serai obligé de vous quitter aussi, dit le jars. J'ai promis de ne pas l'abandonner.

— Tu es libre de voler où bon te semble », dit l'oie meneuse.

Sur ce, elle déploya ses ailes et vola jusqu'à sur la glace où, l'une après l'autre, les oies sauvages la suivirent.

Le garçon était triste de voir ainsi s'évanouir son rêve de voyage en Laponie, sans compter qu'il appréhendait la froideur du logis.

« Ça devient de pire en pire, Martin jars, dit-il.

---

1. Pauvre petit, garçon qui fait pitié.
2. Se porter garant de quelqu'un : assurer qu'il ne fera pas de mal.

Nous allons commencer par mourir de froid sur la glace. »

Mais le jars était confiant.

« Ne crains rien, dit-il. Je te demanderai simplement de ramasser le plus vite possible autant de paille et d'herbe que tu pourras en porter. »

Lorsque le garçon eut les bras chargés d'herbe sèche, le jars le saisit par le col de la chemise, le souleva et rejoignit sur la glace les oies sauvages qui s'endormaient déjà, le bec sous l'aile.

« Maintenant, étale cette herbe pour que j'aie quelque chose sous les pieds et que je ne reste pas collé sur la glace ! Aide-moi, et je t'aiderai ! » dit-il.

Le garçon s'exécuta et, lorsque ce fut fini, le jars le pinça une nouvelle fois par le col de la chemise et le fourra sous son aile.

« Je crois qu'ici tu seras au chaud », dit-il en resserrant son aile.

Le garçon était tellement plongé dans le duvet qu'il ne put répondre, mais il était couché, et au chaud, et en un instant il s'endormit.

La nuit

Au milieu de la nuit, la croûte de glace flottante se déplaça sur le lac de Vomb et vint toucher la rive. Or il advint que Smirre le renard, qui à cette époque demeurait à l'est du lac dans le parc du cloître d'Oved, s'en rendit compte au cours de sa chasse nocturne. Le soir déjà, Smirre avait aperçu les oies sauvages, mais il n'avait pas espéré pouvoir en attraper une. Il s'avança donc sans tarder sur la glace.

Lorsque Smirre fut tout près des oies sauvages, il glissa et ses griffes raclèrent la glace. Le bruit réveilla les oies qui battirent des ailes pour s'envoler. Mais Smirre était trop rapide pour elles. Il bondit en avant, comme propulsé par une catapulte, saisit une oie par l'os de l'aile et rejoignit la terre ferme.

Cette nuit-là, pourtant, les oies sauvages n'étaient pas seules sur la glace, un homme était parmi elles, si petit fût-il. Le garçon s'était réveillé en entendant le jars battre des ailes. Il était tombé sur la glace, tout ébahi, et il n'avait rien compris à cette agitation avant d'apercevoir un chien bas sur pattes qui courait sur la glace, une oie dans la gueule.

Sans perdre un instant, le garçon se lança à la poursuite de ce chien voleur d'oie. Il entendit certes le jars lui crier :

« Prends garde à toi, Poucet ! Prends garde à toi ! »

Mais le garçon estimait qu'il n'avait rien à craindre d'un si petit chien, et il se précipita de plus belle.

L'oie sauvage que Smirre le renard traînait après lui entendit le claquement sur la glace des sabots du gamin et elle n'en crut pas ses oreilles. « Ce marmot aurait-il l'intention de me sauver du renard ? se demanda-t-elle. Tout ce qui l'attend, c'est qu'il va tomber dans une crevasse de la glace. »

Mais le garçon disposait maintenant de la bonne vue des tomtes qui voient dans le noir. Il voyait le lac et la rive aussi nettement qu'en plein jour.

Smirre le renard quitta la plaque de glace là où elle touchait la terre et, tandis qu'il grimpait péniblement le talus de la berge, le garçon lui cria :

« Lâche cette oie, canaille ! »

Smirre se demanda qui pouvait crier ainsi, mais il ne perdit pas de temps à regarder derrière lui, et il détala encore plus vite.

Le renard pénétra alors dans une forêt de hêtres immenses et magnifiques, et le garçon l'y suivit sans s'attarder à la pensée du danger qu'il courait. Il brûlait d'envie de leur montrer qu'un homme est quand même légèrement supérieur au reste de la création[1].

Il n'arrêtait pas de crier au chien de lâcher sa proie.

« Mais quelle sorte de chien es-tu donc pour oser voler une oie ? cria-t-il. Relâche-la immédiatement sinon tu vas voir la raclée que tu vas prendre ! Pose-la, sinon je dirai à ton maître ce que tu fais ! »

Quand Smirre le renard comprit qu'on le prenait pour un chien qui craint la trique[2], il trouva cela si ridicule qu'il faillit en perdre l'oie. Car

---

1. Le monde entier.
2. Bâton.

Smirre était un fieffé brigand, qui ne se contentait pas de chasser les rats et les musaraignes[1] dans les champs, il était aussi suffisamment audacieux pour s'approcher des fermes et y voler poules et oies.

Le garçon courait vite, et il gagnait du terrain sur Smirre. Enfin, il arriva si près de lui qu'il put lui saisir la queue.

« Maintenant, tu vas me la donner, cette oie ! » cria-t-il en tirant de toutes ses forces.

Mais il n'était pas de taille à arrêter Smirre. Et le renard l'entraîna, faisant virevolter les feuilles de hêtre sèches autour de lui.

Smirre, entre-temps, semblait avoir compris à quel point son poursuivant était inoffensif. Il s'arrêta, déposa l'oie par terre et appuya sur elle ses pattes de devant pour l'empêcher de s'envoler. Il s'apprêtait à lui trancher la gorge, mais auparavant il ne put s'empêcher de taquiner le gamin.

« Cours appeler mon maître, parce que je vais la croquer, son oie ! » dit-il.

On imagine la surprise du garçon lorsqu'il vit le museau pointu de ce chien qu'il avait poursuivi et entendit sa voix rauque et furieuse. Mais en même temps il fut si outré d'entendre le renard se moquer de lui, qu'il ne lui vint pas à l'idée d'avoir peur. Il agrippa plus fermement la queue, prit appui sur une

1. Campagnols et musaraignes : petits rongeurs des champs.

43

racine de hêtre et, au moment où le renard ouvrait la gueule au-dessus de la gorge de l'oie, il tira brusquement de toutes ses forces. Smirre, totalement pris au dépourvu, se sentit reculer de plusieurs pas, ce qui permit à l'oie sauvage de se dégager, et de s'envoler lourdement. Une de ses ailes était blessée et par conséquent presque inutilisable, et à cela s'ajoutait le fait qu'elle ne voyait rien dans l'obscurité de la nuit dans la forêt et s'y retrouvait aussi désemparée qu'un aveugle. Elle fut donc incapable d'aider le garçon mais réussit à trouver un passage à travers la voûte des branches et à retourner vers le lac.

Smirre, quant à lui, se jeta sur le garçon.

« La première m'a échappé, mais j'aurai l'autre ! cria-t-il d'une voix exprimant toute sa fureur.

— Ne va pas t'imaginer ça ! » rétorqua le garçon, ravi d'avoir sauvé l'oie.

Toujours agrippé à la queue du renard, il fila de l'autre côté quand celui-ci essaya de l'attraper.

Et commença alors une sarabande[1] dans la forêt, au milieu d'un tourbillon de feuilles de hêtre. Smirre se tordait, mais la queue suivait, et le garçon s'y agrippait si bien que le renard était incapable de le saisir.

Au début, le garçon était encore si heureux de son succès qu'il ne faisait que rire et se moquer du renard, mais Smirre avait la ténacité des vieux chas-

---

1. Cavalcade qui fait penser à une grande danse.

seurs, et le garçon finit par craindre de se faire attra-per.

C'est alors qu'il aperçut un jeune hêtre qui avait poussé droit comme un mince échalas[1] pour essayer d'atteindre l'air libre au-dessus du toit de branches que formaient autour de lui les vieux hêtres. Il lâcha soudain la queue du renard et grimpa dans le hêtre tandis que Smirre le renard, emporté par sa fureur, continuait de courir après sa queue.

« Tu peux t'arrêter de danser maintenant ! » cria le garçon.

Mais Smirre, incapable de supporter l'affront de n'avoir su vaincre un gamin comme ça, se coucha au pied de l'arbre, bien décidé à attendre.

Là-haut, à califourchon sur une branche frêle, la position du garçon était incommode. Le jeune hêtre n'atteignant pas encore la voûte de la forêt, il lui était impossible de passer sur un arbre voisin, et il n'osait pas redescendre.

Il avait si froid qu'il faillit être paralysé et lâcher la branche, et il avait terriblement sommeil, mais il n'osait pas s'endormir, de peur de tomber.

La forêt plongée dans la nuit était horriblement lugubre. Jamais auparavant il n'avait su ce que voulait dire la nuit. C'était comme si le monde entier avait été figé pour ne plus jamais se réveiller.

Puis l'aurore vint, et le garçon fut heureux de voir

---

1. Long pieu qui sert à soutenir un arbre.

les choses reprendre leur aspect habituel, même si le froid semblait encore plus vif que plus tôt dans la nuit.

Lorsque enfin le soleil parut, il n'était pas jaune, mais rouge.

Là-bas sur le lac on entendait les cris des oies sauvages se préparant à l'envol et, un moment plus tard, les quatorze oies survolèrent la forêt. Le garçon essaya de les appeler, mais elles volaient trop haut pour entendre sa voix. Elles s'imaginaient probablement que le renard l'avait dévoré depuis longtemps. Elles n'estimaient même pas nécessaire de le rechercher.

Le garçon était sur le point de pleurer d'angoisse, mais le soleil était maintenant dans le ciel, jaune d'or et souriant, emplissant de courage le monde entier. « Non, disait le soleil. Non, Nils Holgersson, ne sois ni anxieux ni inquiet tant que j'existe. »

Le jeu des oies

Lundi 21 mars

Tout demeura inchangé dans la forêt à peu près le temps qu'il faut à une bande d'oies pour prendre son petit déjeuner, mais au moment où l'on passait du lever du soleil à la matinée, on vit sous l'épaisse voûte de branches arriver une oie sauvage solitaire. Peu sûre d'elle, volant très lentement, elle cherchait son chemin entre les troncs. Dès que Smirre le renard l'aperçut, il quitta son poste sous le jeune hêtre et se glissa vers elle. L'oie sauvage n'évita pas le renard mais continua de voler pratiquement à sa portée. Smirre fit un grand bond vers elle mais il la rata, et l'oie continua son vol vers le lac.

Il n'attendit pas longtemps avant de voir arriver une autre oie sauvage. Elle aussi passa tout près de Smirre le renard, et il bondit si haut derrière elle que ses oreilles frôlèrent les pattes de l'oie, mais celle-ci lui échappa saine et sauve et continua, aussi silencieuse qu'une ombre, son chemin en direction du lac.

Un petit moment s'écoula, et de nouveau apparut une oie sauvage. Smirre fit un bond fantastique, et il s'en fallut d'un cheveu qu'il l'attrapât, et cette troisième oie elle aussi se sauva.

Peu après sa disparition, une quatrième oie sauvage se présenta. Elle suivait le même chemin que les autres mais, arrivée au-dessus de Smirre, elle descendit si bas qu'il ne put s'empêcher de sauter pour l'attraper. Il sauta si haut qu'il la toucha de sa patte, mais elle fit un brusque écart de côté et sauva sa vie.

Avant que Smirre ait fini de souffler, survinrent trois oies à la file. Smirre entreprit de grands bonds derrière elles, mais en vain chaque fois.

Là-dessus arrivèrent cinq oies qui volaient mieux que les précédentes. Elles aussi, pourtant, semblaient vouloir inciter Smirre à sauter, mais il résista à la tentation.

Un bon moment plus tard arriva une oie seule. La treizième. Celle-ci était si vieille qu'elle était toute grise et ne portait aucune strie brune sur les plumes. Smirre ne fit pas qu'un grand bond derrière elle, il la poursuivit en courant et en sautant jusqu'au lac, mais cette fois encore, ses efforts furent sans résultats.

Quand la quatorzième arriva, ce fut superbe, car elle était blanche et, quand elle battait des ailes, elle scintillait comme une éclaircie au milieu d'une sombre forêt. Lorsque Smirre la vit, il rassembla toutes ses forces et sauta jusqu'à hauteur des premières branches, mais l'oie blanche continua son vol, indemne, comme toutes les autres.

Alors tout redevint tranquille sous les hêtres. Apparemment la bande d'oies sauvages était passée.

Tout à coup, Smirre se souvint de son prisonnier et il leva les yeux vers le jeune hêtre. Comme on s'en doute, le gamin avait disparu.

Mais Smirre ne put penser à lui bien longtemps, car maintenant la première oie revenait du lac. Smirre fut content de la voir et il bondit derrière elle. Mais dans sa hâte il avait mal calculé ses bonds et il passa à côté d'elle.

Puis arriva une nouvelle oie, et une troisième, une quatrième, une cinquième, la même succession d'oies jusqu'à la vieille grise comme la glace et la grosse blanche. Et Smirre les poursuivit, fit des bonds de plusieurs toises[1], mais ne réussit pas à en attraper une seule.

Jamais Smirre le renard n'avait vécu aussi abominable journée. Sans arrêt les oies sauvages frôlaient sa tête, venaient et s'en allaient, revenaient et repartaient.

L'hiver était encore à peine terminé, et Smirre se souvenait des jours et des nuits où il avait été obligé d'errer oisivement sans trouver le moindre gibier à prendre en chasse, du temps où les oiseaux migrateurs n'étaient pas là, où les rats se cachaient sous la surface gelée de la terre et où les poules restaient enfermées. Mais jamais la faim de l'hiver n'avait été aussi difficile à supporter que la déception de cette journée.

Le matin, au début du jeu, Smirre était si beau que les oies avaient été stupéfaites de le voir. Smirre aimait la magnificence, et sa fourrure était d'un rouge somptueux, sa poitrine blanche, son museau noir et sa queue fournie comme un panache. Mais maintenant que la journée avançait, la fourrure de Smirre pendait en touffes broussailleuses, il baignait dans sa sueur, ses yeux avaient perdu tout éclat, sa langue pendait longuement hors de sa gueule haletante ruisselant d'écume.

Dans l'après-midi, Smirre fut si fatigué qu'il fut

---

1. Mesure de longueur (environ deux mètres).

saisi de vertiges. Des oies ne cessaient de voler devant ses yeux. Il fit même des bonds sur des taches de soleil aperçues par terre.

Infatigables, les oies sauvages poursuivirent leur vol. Toute la journée elles continuèrent de torturer Smirre. Elles n'éprouvaient aucune pitié à le voir détruit, à bout, fou. Elles savaient que Smirre ne les voyait pratiquement plus, qu'il bondissait après leur ombre mais, implacablement, elles continuaient.

Elles n'arrêtèrent de se gausser[1] de lui que lorsque Smirre le renard s'effondra sur un tas de feuilles sèches, totalement épuisé, anéanti, comme prêt à rendre l'âme.

« Maintenant, renard, tu sais ce qui arrive à qui ose s'attaquer à Akka de Kebnekaïse ! » lui crièrent-elles alors dans l'oreille et, sur ce, elles le laissèrent tranquille.

1. Se moquer.

3

La vie d'un oiseau sauvage

Samedi 26 mars.

Pendant les journées qui suivirent eut lieu un événement étrange. Un matin, une bande d'oies sauvages se posa dans un champ à l'est de la Scanie, non loin de la grande ferme de Vittskövle. La bande était composée de treize oies de la couleur habituelle et d'un jars blanc qui sur son dos portait un petit bonhomme vêtu d'une culotte de cuir jaune, d'un gilet vert et d'un bonnet blanc.

Les oies broutaient depuis un moment déjà lorsque des enfants vinrent en bordure du champ. L'oie qui montait la garde s'élança immédiatement dans l'air en faisant claquer ses ailes pour avertir toute la bande de l'imminence d'un danger. Toutes les oies s'envolèrent, mais le blanc resta tranquillement par terre. Voyant les autres s'enfuir, il leva la tête et leur cria :

« Ce n'est pas la peine de vous enfuir pour ceux-là. Ce ne sont que des enfants. »

Le petit gamin à qui il avait servi de monture restait assis à la lisière de la forêt et décortiquait une pomme de pin pour en extraire les pignes[1]. Les enfants étaient si près de lui qu'il n'osa pas traverser le champ pour rejoindre le blanc. Sans tarder, il se cacha sous une grande feuille sèche de chardon tout en lançant un cri d'avertissement.

Mais visiblement le blanc n'était pas décidé à se laisser effrayer. Il déambulait toujours dans le champ, sans s'occuper de la direction que prenaient les enfants.

Or ceux-ci quittèrent la route, traversèrent le champ et s'approchèrent du jars. Quand enfin il leva les yeux, ils étaient tout près de lui et il en fut si consterné et troublé qu'il oublia qu'il savait voler, et il courut pour s'éloigner d'eux. Les enfants le suivirent, le firent tomber dans un fossé et s'empressèrent de l'attraper. Le plus grand le coinça sous son bras et l'emporta.

Quand le gamin caché sous la feuille de chardon vit cela, il se redressa d'un bond, comme s'il avait

---

1. Pignons.

voulu enlever le jars aux enfants. Mais il dut soudain se souvenir de la petitesse de sa taille et, impuissant, il se jeta dans l'herbe et cogna furieusement le sol à coups de poing.

Le jars appelait à l'aide de toutes ses forces :

« Poucet, viens m'aider ! Poucet, viens m'aider ! »

Mais, en l'entendant, le garçon, malgré son angoisse, se mit à rire.

« Eh oui, dit-il, comme si je pouvais venir en aide à quelqu'un ! »

Néanmoins, il se releva et suivit le jars. « Je suis incapable de l'aider, se dit-il. Mais je veux au moins voir ce qu'ils vont faire de lui. »

Les enfants avaient beaucoup d'avance mais le garçon n'eut aucune peine à les garder en vue jusqu'à ce qu'il arrivât devant une dépression du sol au fond de laquelle tourbillonnait un ruisseau printanier. Un ruisseau ni large ni impétueux[1] mais qu'il dut quand même longer en courant avant de trouver un endroit où il put le franchir.

Remonté sur le talus, il constata que les enfants avaient disparu. Il put cependant voir leurs traces sur un étroit sentier qui menait dans la forêt, et il continua de les suivre.

Puis il arriva à un carrefour, où les enfants avaient dû se séparer puisqu'il vit des traces partir dans deux

---

1. Dont le courant est fort.

directions. Alors le marmot eut l'air complètement désespéré.

Mais au même moment il aperçut sur une touffe de bruyère un petit duvet blanc, et il comprit que le jars l'avait jeté sur le bord du sentier pour lui indiquer de quel côté on l'emportait, et le garçon continua donc son chemin. Il suivit ainsi les enfants à travers toute la forêt. Pas une seule fois il ne vit le jars mais, à chaque endroit où il aurait pu se tromper de chemin, un petit duvet blanc lui indiquait la direction.

Le garçon continua ainsi de suivre attentivement les duvets. Ils le conduisirent hors de la forêt, au-delà de quelques champs, sur une route puis, pour finir, dans l'allée menant à un manoir. Quand le marmot vit le manoir, il crut comprendre ce qui était arrivé au jars. « Sans nul doute, les enfants ont amené le jars au manoir pour le vendre, et dans ce cas il est probablement déjà mort », se dit-il.

Le manoir était une solide construction à l'ancienne composée de quatre bâtiments qui encerclaient une cour d'honneur ouverte sur le côté est. Le garçon courut sans hésitation vers le porche mais s'arrêta là, n'osant s'aventurer plus loin. Il resta ainsi planté, réfléchissant à ce qu'il devait faire.

Il réfléchissait encore, le doigt posé sur le nez, quand il entendit des pas derrière lui et, lorsqu'il se retourna, il vit un groupe de gens qui remontait l'allée. En toute hâte, il se faufila derrière un tonneau d'eau posé à côté du porche et y resta caché.

Les arrivants étaient une vingtaine de jeunes gens en excursion. Un professeur les accompagnait et, lorsqu'ils furent arrivés au porche, il les pria d'attendre tandis qu'il entrait demander l'autorisation de visiter le vieux château de Vittskövle.

Les nouveaux arrivants avaient chaud et semblaient éprouver la fatigue d'une longue marche. L'un d'eux avait si soif qu'il s'approcha du tonneau et se pencha pour boire. Une boîte à herboriser[1] pendait sur son épaule et il la trouvait sans doute gênante car il la jeta par terre. Dans la chute, le couvercle s'ouvrit et l'on put voir à l'intérieur quelques fleurs printanières.

La boîte tomba juste devant le marmot, et celui-ci dut penser que se présentait ainsi à lui une merveilleuse occasion d'entrer dans le château et de savoir ce qu'il était advenu du jars. Il se glissa prestement dans la boîte et se dissimula au mieux sous les renoncules et les tussilages[2].

À peine était-il caché que le jeune homme ramassa la boîte, la suspendit sur son épaule et referma le couvercle.

Le professeur revenait maintenant, pour leur dire qu'ils avaient l'autorisation d'entrer dans le château.

1. Cueillir des herbes pour composer un herbier.
2. Fleurs des champs.

Ils pénétrèrent donc dans la cour d'honneur où, tout de suite, il s'arrêta pour leur parler du vieux bâtiment.

Le professeur parla longuement et avec force détails, et le marmot enfermé dans la boîte à herboriser commençait à s'impatienter. Mais il sut rester tranquille, puisque le propriétaire de la boîte ne remarqua pas un seul instant qu'il le transportait.

Le groupe finit quand même par entrer dans le château, mais si le marmot avait espéré trouver une occasion de sortir de la boîte, il s'était trompé car l'élève ne s'en sépara pas et le marmot dut l'accompagner à travers toutes les pièces.

La marche était lente. Le professeur s'arrêtait sans cesse pour expliquer et enseigner. Et le marmot qui un jour avait été emporté et impatient reçut ce jour-là une bonne leçon de patience. Car cela faisait bien une heure maintenant qu'il demeurait immobile.

Le professeur prenait son temps. Mais il ne savait pas non plus que dans une boîte à herboriser était enfermé un pauvre petit être qui n'attendait que la fin de son discours.

Et, durant tout ce temps, le marmot restait immobile. Et si un jour il lui était arrivé d'être méchant et d'enfermer son père ou sa mère dans la cave, il apprit ce jour-là ce qu'ils avaient dû ressentir, car des heures s'écoulèrent avant que le professeur s'arrêtât.

Mais il échappa au dernier discours car l'élève qui

le portait, à nouveau tenaillé par la soif, s'esquiva[1] dans la cuisine pour demander un peu d'eau. Ainsi transporté dans la cuisine, le marmot envisagea de reprendre sa recherche du jars. Il commença à remuer et, ce faisant, il appuya si fort contre le couvercle que celui-ci s'ouvrit. Les couvercles des boîtes à herboriser s'ouvrent souvent ainsi et l'élève, sans y prendre particulièrement garde, la referma. Mais la cuisinière lui demanda alors s'il avait enfermé un serpent dans sa boîte.

« Non, seulement quelques plantes, répondit l'élève.

— Mais je suis sûre d'avoir vu bouger quelque chose », insista la cuisinière.

L'élève ouvrit alors la boîte pour lui montrer qu'elle se trompait.

« Regardez vous-même si... »

Il n'en dit pas plus car le marmot, n'osant rester plus longtemps dans la boîte, sauta d'un bond par terre et se précipita dehors. Les servantes eurent à peine le temps de voir ce qui courait ainsi mais elles se lancèrent néanmoins à sa poursuite.

« Attrapez-le ! Attrapez-le ! » criaient-elles en se ruant hors de la cuisine, et tous les jeunes gens se ruèrent à leur tour derrière le marmot qui s'enfuyait plus vite qu'un rat.

Ils essayèrent de le coincer sous le porche, mais ce

---

1. S'enfuit sans se faire remarquer.

57

n'était pas facile d'attraper quelqu'un d'aussi petit, et il réussit heureusement à se retrouver dehors.

Alors qu'il passait en courant devant le logis d'un homme de peine, il entendit une oie caqueter et vit un duvet blanc sur le pas de la porte. Là ! c'était là que se trouvait le jars ! Jusque-là, il avait suivi une mauvaise piste. Alors, oubliant les servantes et les hommes qui le poursuivaient, il grimpa les marches et se rua sur le perron, mais il ne put aller plus loin car la porte était fermée. De l'autre côté, il entendait le jars gémir et se plaindre, mais il ne pouvait ouvrir cette porte. La horde[1] qui le poursuivait encore se rapprochait, et dans la pièce le jars se lamentait de plus en plus pitoyablement. Alors, dans cette détresse extrême, le gamin rassembla enfin tout son courage et frappa de toutes ses forces contre la porte.

Un enfant ouvrit, et le marmot regarda à l'intérieur. Au centre, une femme était assise, prête à couper les pennes[2] du jars. Ses enfants l'avaient trouvé et elle ne voulait pas lui faire du mal, seulement le relâcher parmi ses oies, et si elle voulait lui couper les ailes, c'était pour l'empêcher de s'envoler. Mais pire malheur ne pouvait arriver au jars, et il criait et se lamentait tant et plus.

Et ce fut une chance que la femme n'eût pas commencé à couper plus tôt. Deux pennes seulement

---

1. Foule agitée et menaçante.
2. Grandes plumes.

étaient passées sous les ciseaux lorsque la porte s'ouvrit et que la femme découvrit le marmot sur le seuil. Et jamais elle n'avait rien vu de semblable. Convaincue d'être en présence du Bon-Nisse[1] en personne, terrorisée, elle en perdit ses ciseaux, serra ses mains l'une contre l'autre, et en oublia de maintenir le jars.

Dès que ce dernier se sentit libre, il courut vers la porte. Il ne prit pas le temps de s'arrêter, mais au passage il saisit le marmot par le col et l'emmena avec lui. Et sur le seuil il déploya ses ailes et monta en l'air, tout en tordant élégamment son cou pour déposer le marmot sur son dos duveteux.

Et ainsi ils grimpèrent dans les airs, tandis que tout Vittskövle les contemplait d'en bas.

Dans le parc d'Övedskloster

Durant toute la journée où les oies s'amusèrent avec le renard, le garçon dormit dans un nid d'écureuil abandonné. Lorsque le soir il se réveilla, l'inquiétude le reprit : « Maintenant, je vais me faire renvoyer chez moi, pensa-t-il, et je ne pourrai éviter de me montrer à papa et maman. »

Mais quand il alla voir les oies sauvages qui se baignaient dans le lac de Vomb, aucune d'entre elles ne dit mot sur son départ. « Elles doivent penser que le

---

1. Bon-Nisse, ou Goa-Nisse : nom donné aux tomtes.

blanc est trop fatigué pour me ramener ce soir », pensa le garçon.

Le lendemain matin, les oies furent réveillées dès les premières lueurs de l'aube, bien avant le lever du soleil. Le garçon, cette fois, était certain de l'imminence du retour chez lui mais, bizarrement, lui et le jars blanc purent accompagner les oies sauvages dans leur promenade matinale. Le garçon n'arrivait pas à comprendre la raison de ce délai mais, en y réfléchissant, il se dit que les oies ne désiraient sans doute pas renvoyer le jars pour un si long voyage sans qu'auparavant il eût pu manger à sa faim. Quoi qu'il en soit, il se réjouissait de tout retard apporté à la confrontation avec ses parents.

Les oies sauvages survolèrent le domaine d'Övedskloster, situé à l'est du lac. Le parc était magnifique, et le château très imposant, avec sa belle cour d'honneur pavée, entourée de murs bas et de pavillons, son jardin à l'ancienne, avec des haies taillées, des bassins, des fontaines, des arbres superbes et des pelouses tracées au cordeau[1], bordées de fleurs printanières multicolores.

Mais la pensée du voyage de retour hantait le garçon. Il se figurait la joie qu'il aurait à suivre les oies sauvages. Il savait que la faim et le froid l'attendaient mais, en revanche, il serait débarrassé du travail et des études.

---

1. Tracées selon des contours réguliers.

Tandis qu'il marchait, la vieille oie meneuse grise s'approcha de lui et lui demanda s'il avait trouvé de quoi manger. Et, comme il répondit par la négative, elle essaya de l'aider. Elle ne trouva pas de noisettes, elle non plus, mais quelques baies d'églantier. Le garçon les dévora de bon appétit tout en se demandant ce que sa mère aurait dit si elle avait appris qu'il était en train de se nourrir de poisson cru et de vieilles baies d'églantier ayant survécu à l'hiver.

Quand les oies sauvages furent enfin rassasiées, elles retournèrent vers le lac et s'amusèrent là jusque vers midi. Elles défièrent le jars blanc dans toutes sortes de compétitions sportives, se mesurèrent avec lui à la nage, à la course et au vol. Le grand jars domestique y mit toutes ses forces mais chaque fois fut battu par les oies sauvages beaucoup plus vives. Le garçon, lui, resta sans cesse sur le dos du jars pour l'encourager, tout en s'amusant autant que les autres.

Lorsque les oies sauvages eurent fini de jouer, elles retournèrent sur la glace pour y prendre du repos. L'après-midi se passa presque comme la matinée. Quelques heures de pâture[1], puis baignade et jeux dans l'eau en bordure de la glace jusqu'au coucher du soleil, lorsqu'il fut temps de s'installer rapidement pour dormir.

« Cette vie me conviendrait parfaitement », pensa le garçon en se glissant sous l'aile du jars.

---

1. Nourriture pour les animaux.

Déjà il imaginait les spectacles et les aventures qui l'attendaient. Oui, quel changement avec la vie dure et ingrate de la maison. « Si seulement je pouvais accompagner les oies dans leur voyage, je cesserais de me lamenter sur mon état », pensait-il.

Sa plus grande peur était celle d'être renvoyé, mais le mercredi non plus les oies ne dirent rien au sujet de son départ. La journée se déroula comme la veille et, de plus en plus, le garçon appréciait la vie sauvage.

Le jeudi commença comme les autres jours. Les oies pâturaient dans les grands champs et le garçon cherchait pitance[1] dans le parc. Au bout d'un moment, Akka s'approcha de lui et lui demanda s'il avait trouvé à manger. Non, il n'avait rien trouvé, alors elle ramassa pour lui une tige de carvi[2] sèche qui avait conservé toutes ses graines.

Lorsqu'il eut fini de manger, Akka lui dit qu'elle trouvait qu'il allait et venait beaucoup trop hardiment dans le parc, puis elle lui demanda s'il savait de combien d'ennemis il devait prendre garde, lui qui était si petit. Non, il n'en avait aucune idée. Alors Akka entreprit de les lui énumérer.

Quand il s'aventurait sous les arbres, dit-elle, il devait se méfier du renard et de la martre ; quand il s'approchait du lac, il devait penser aux loutres ; s'il

---

1. Quelque chose à manger.
2. Plante des prés.

restait assis sur les murets, il ne devait pas oublier la belette qui savait se glisser par le moindre trou, et s'il pensait s'allonger pour dormir dans un tas de feuilles, il valait mieux d'abord vérifier que la vipère n'avait pas choisi l'endroit pour hiberner. S'il sortait en terrain découvert, il lui fallait garder un œil sur l'épervier et la buse, sur l'aigle et le faucon qui planaient haut dans le ciel. Dans les coudraies[1], il risquait d'être capturé par l'émouchet[2] ; les pies et les corbeaux étaient partout et mieux valait pour lui s'en méfier. Dès le crépuscule tombé, il devait ouvrir grand ses oreilles pour épier les grosses chouettes qui battaient si silencieusement des ailes qu'elles pouvaient le surprendre avant même qu'il découvrît leur présence.

En entendant qu'il avait tant d'ennemis mortels, le garçon se dit qu'il ne réussirait jamais à rester en vie. Il n'avait pas particulièrement peur de mourir, mais aucune envie d'être mangé, il demanda donc à Akka ce qu'il lui faudrait faire pour se protéger contre les bêtes de proie.

Akka lui répondit immédiatement qu'il devait avant tout essayer de se mettre en bons termes avec les petits animaux des bois et des champs, les écureuils et les lièvres, les pinsons et les mésanges, les pics et les alouettes. S'ils le considéraient comme un

---

1. Terrains où poussent les noisetiers.
2. Petit rapace.

ami, ils l'avertiraient des dangers, lui proposeraient des cachettes et, en cas d'urgence, pourraient même l'aider à se défendre.

Mais lorsque, plus tard dans la journée, le garçon voulut suivre le conseil et sollicita l'aide de Sirle l'écureuil, ce fut pour essuyer un refus.

« N'attends rien de bon de ma part ni de la part des autres petits animaux, dit Sirle. Crois-tu que nous ne sachions pas que tu es Nils le gardeur d'oies, qui l'année dernière détruisait les nids d'hirondelles, brisait les œufs d'étourneaux, dénichait les petits corbeaux et les jetait dans la mare, qui prenait des merles au collet et enfermait les écureuils dans des cages ? Débrouille-toi tout seul comme tu pourras, et estime-toi heureux que nous ne nous liguions pas tous contre toi pour te chasser d'ici vers tes semblables. »

Voilà bien une réponse que le garçon n'aurait jamais laissé passer autrefois, du temps où il était Nils le gardeur d'oies, mais aujourd'hui il ne craignait qu'une chose : que les oies sauvages apprissent à quel point il pouvait être méchant. Il avait eu si peur de ne pas pouvoir accompagner les oies sauvages qu'il n'avait pas osé faire la moindre bêtise depuis qu'il vivait en leur compagnie. Certes, il n'était pas bien dangereux, compte tenu de sa taille, mais si l'envie lui en avait pris, il aurait quand même été capable de détruire beaucoup de nids d'oiseaux et de casser beaucoup d'œufs. Non, il avait tout simplement été gentil, il n'avait pas arraché une seule plume d'oie, n'avait répondu impoliment à personne, et chaque matin en saluant Akka il avait retiré son bonnet et s'était incliné.

Toute la journée du jeudi, il rumina que c'était sûrement à cause de sa méchanceté que les oies sauvages ne voulaient pas l'emmener en Laponie.

Jusqu'au samedi les oies purent paître dans les champs entourant Övedskloster sans être importunées par Smirre le renard. Cependant, le samedi matin lorsqu'elles se posèrent sur un champ, il se tenait à l'affût et les poursuivit d'un pré à l'autre, les empêchant de manger en paix. Voyant qu'il ne les laisserait pas tranquilles, Akka se décida rapidement, elle prit l'air et mena les autres sur plusieurs dizaines de kilomètres au-dessus des plaines du canton de Färs et des collines couvertes de genévriers des hauts de Linderöd. Elles ne se posèrent qu'une fois atteints les environs de Vittskövle.

Et ce fut là, près de Vittskövle, que le jars fut capturé, comme nous l'avons déjà appris. Et le pauvre n'aurait jamais été retrouvé si le garçon n'avait pas mobilisé toutes ses forces pour lui venir en aide.

Le samedi soir, lorsque le garçon retrouva les rives du lac de Vomb en compagnie du jars, il estimait avoir fait du bon travail et attendait impatiemment de savoir ce qu'Akka et les oies sauvages allaient dire.

Et toutes ne lésinèrent pas sur les louanges[1] mais elles ne prononcèrent pas les mots qu'il aurait tant voulu entendre.

Puis vint le dimanche. Une semaine entière s'était écoulée depuis que le garçon avait été ensorcelé et il était toujours aussi petit.

Mais apparemment cela ne le tracassait pas outre mesure. Le dimanche après-midi, il était perché dans la ramure touffue d'un osier en bordure du lac et soufflait dans un chalumeau.

Soudain, le garçon jeta son instrument et dégringola en bas de l'osier. Il avait vu Akka et sa bande s'avancer vers lui l'une derrière l'autre. Elles marchaient d'une manière si inhabituellement lente et solennelle que le garçon crut à l'instant comprendre que le moment était venu de savoir ce qu'elles comptaient faire de lui.

Elles s'arrêtèrent enfin et Akka dit :

« Tu as raison, Poucet, de t'étonner de ma conduite, moi qui ne t'ai pas remercié de m'avoir sauvée de Smirre le renard. Mais je suis de ceux qui préfèrent remercier par des actes et non des mots. Et je crois maintenant avoir réussi à te rendre un grand service, Poucet. J'ai réussi à entrer en contact avec le tomte qui t'a ensorcelé. Au début, il ne voulait pas entendre parler de te guérir, mais je suis revenue à la charge en lui parlant de ton comportement coura-

----

1. Ne furent pas avares de louanges.

geux parmi nous. Et il nous a fait savoir que, dès que tu serais de retour chez toi, tu reprendrais taille humaine. »

Mais autant le garçon avait été heureux d'entendre l'oie sauvage commencer à parler, autant il fut triste lorsqu'elle se tut ! Il ne répondit rien mais détourna la tête et pleura.

« Que signifie donc cela ? dit Akka. On dirait que tu attendais de moi plus que ce que je viens de te proposer. »

Mais le garçon songeait aux journées insouciantes et aux farces, à l'aventure, à la liberté et aux voyages en l'air qu'il allait manquer, et il hurlait presque de chagrin.

« Je me fiche de redevenir un homme, dit-il. Je veux vous accompagner en Laponie.

— Laisse-moi te dire une chose, dit Akka. Ce tomte-là est très susceptible, et je crains que si tu n'acceptes pas son offre d'aujourd'hui tu risques d'avoir du mal à l'amadouer une autre fois. »

Si étrange que cela puisse paraître, de toute sa vie ce garçon n'avait jamais aimé personne. Il n'avait aimé ni son père, ni sa mère, ni son instituteur, ni les enfants de son école, ni les garçons des fermes avoisinantes. Tout ce qu'ils avaient essayé de lui apprendre, jeu ou travail, il l'avait trouvé ennuyeux. Et en ce moment, à vrai dire, personne ne lui manquait.

Les seuls avec lesquels il avait pu s'entendre

quelque peu étaient Åsa la gardeuse d'oies et le petit Mats, deux gamins qui, comme lui, avaient mené les oies paître dans les champs. Mais il ne les chérissait pas, non, loin de là même.

« Je ne veux pas redevenir un homme, hurla le garçon. Je veux vous accompagner en Laponie. C'est pour ça que j'ai été gentil pendant toute une semaine.

— Je ne veux pas te refuser de nous accompagner, aussi loin que tu le désireras, dit Akka. Mais réfléchis bien avant de dire que tu ne veux plus rentrer chez toi ! Un jour pourrait venir où tu regretterais ces paroles.

— Non, dit le garçon. Il n'y a rien à regretter. Jamais je ne me suis senti aussi bien qu'avec vous.

— Parfait. Alors c'est ta décision qui l'emporte, dit Akka.

— Merci ! » cria le garçon, et il était si heureux qu'il pleura de joie, tout comme auparavant il avait pleuré de chagrin.

4

Glimmingehus

Rats noirs et rats gris

Dans le sud-est de la Scanie, non loin de la mer, se dresse un vieux château nommé Glimmingehus.

À l'époque où Nils Holgersson voyageait en compagnie des oies sauvages, personne n'habitait plus à Glimmingehus, mais les occupants ne manquaient pas pour autant. Chaque été, un couple de cigognes rejoignait son large nid perché sur le toit, au grenier vivaient deux hulottes, des chauves-souris s'étaient suspendues dans les passages secrets, un vieux chat logeait dans le fourneau de la cuisine et, dans la cave, vivaient quelques centaines de rats de la vieille espèce, la noire.

Les rats ne sont pas très appréciés des autres animaux, mais les rats noirs de Glimmingehus constituaient une exception. On parlait toujours d'eux avec respect, parce qu'ils avaient fait preuve d'un grand courage dans la lutte contre leurs ennemis et de beaucoup de persévérance[1] durant les grands malheurs qui s'étaient abattus sur leur peuple. Ils appartenaient en effet à un peuple de rats qui un jour avait été nombreux et puissant mais qui maintenant s'éteignait.

Quand une espèce animale s'éteint, c'est en général par la faute des hommes, mais pour une fois ce n'était pas le cas. Certes, les hommes avaient combattu les rats noirs, mais ils n'avaient su leur imposer de dommages irréparables. Ceux qui les avaient vaincus étaient un peuple animal de leur propre famille, les rats gris.

Au contraire des rats noirs, ces rats gris n'habitaient pas le pays depuis des temps immémoriaux[2]. Ils étaient issus d'un couple de pauvres immigrés qui, un siècle plus tôt, avait débarqué à Malmö d'un bateau en provenance de Lübeck. De pauvres hères[3] affamés et sans logis qui vivotaient dans le port, nageaient entre les pilotis des appontements[4] et se nourrissaient des ordures jetées à l'eau. Jamais ils n'osaient monter dans la ville même, propriété des rats noirs.

---

1. Patience et efforts.
2. Très anciens.
3. Hommes et femmes pauvres.
4. Sortes de poteaux assez hauts qui maintiennent un pont en bois léger.

Mais peu à peu, à mesure que leur nombre augmentait, les rats gris s'enhardirent. Au début, ils emménagèrent dans quelques taudis vides et condamnés que les rats noirs avaient abandonnés. Ils cherchaient pitance dans les caniveaux et les tas d'ordures, se contentant des rebuts des rats noirs. Mais ils étaient tenaces et intrépides et se contentaient de peu et, en quelques années, ils devinrent si puissants qu'ils entreprirent de chasser les rats noirs de Malmö. Ils s'emparèrent des greniers, des caves et des entrepôts, les affamèrent ou les tuèrent à coups de dents, car se battre ne les effrayait pas.

Et quand Malmö fut pris, ils se dispersèrent, en troupes nombreuses ou restreintes, et entamèrent la conquête du pays tout entier. On comprend mal pourquoi les rats noirs ne se réunirent pas en une seule grande armée commune pour anéantir les rats gris tandis que ceux-ci étaient encore peu nombreux. Mais les noirs devaient être si sûrs de leur puissance qu'ils ne l'imaginaient pas éphémère[1]. Ils restaient sans bouger dans leurs domaines tandis que les rats gris conquéraient ferme après ferme, village après village, ville après ville. Affamés, repoussés, ils furent ainsi exterminés. En Scanie, ils ne se maintenaient plus qu'au château de Glimmingehus.

Les rats gris qui vivaient dans la ferme de Glimmingehus et la région avoisinante continuaient la

---

1. Qui ne dure qu'un temps.

lutte et essayaient de saisir la moindre occasion de se rendre maîtres du château. On aurait pu les imaginer laissant cette petite bande de rats noirs détenir en paix Glimmingehus depuis qu'eux-mêmes s'étaient emparés de tout le reste du pays, mais il n'en était pas question. Ils affirmaient qu'ils mettaient un point d'honneur à anéantir une fois pour toutes les rats noirs, mais qui connaissait les rats gris savait que c'était parce que les hommes utilisaient Glimmingehus comme réserve à céréales et que les rats gris ne trouveraient pas le repos tant qu'ils ne l'auraient pas conquise.

La cigogne

Lundi 28 mars.

Un matin, de bonne heure, les oies sauvages qui dormaient sur la glace du Vombsjö furent réveillées par de grands cris venus du ciel.

« Trirop ! Trirop ! entendit-on, Trianut la grue salue Akka l'oie sauvage et sa bande, et leur fait savoir que demain, à Kullaberg, aura lieu la grande danse des grues. »

Akka tendit immédiatement le cou et répondit :

« Salut, et merci ! Salut, et merci ! »

Puis les grues continuèrent, mais longtemps les

oies sauvages les entendirent clamer par-dessus champs et ruisseaux :

« Trianut vous salue. Demain, à Kullaberg, aura lieu la grande danse des grues. »

Les oies sauvages se réjouirent de ce message.

« Tu as de la chance, dirent-elles au jars blanc, de pouvoir assister à la grande danse des grues.

— Est-ce donc si étonnant de voir des grues danser ? demanda le jars.

— C'est quelque chose que tu n'as jamais contemplé, même dans tes rêves les plus merveilleux, répondirent les oies sauvages.

— Il va falloir réfléchir à ce que nous ferons de Poucet demain, pour que rien de fâcheux ne lui arrive tandis que nous, nous nous rendrons à Kullaberg, dit Akka.

— Poucet ne restera pas seul, déclara le jars. Si les grues ne l'autorisent pas à assister à leur danse, je resterai avec lui.

— Aucun être humain n'a encore eu le droit d'assister à l'assemblée des animaux à Kullaberg, répliqua Akka. Et je n'ose y emmener Poucet. Mais nous en reparlerons dans la journée. Pour l'heure notre souci est de trouver quelque chose à manger. »

Akka donna ainsi le signe du départ. Ce jour-là aussi, elle choisit des pâturages éloignés à cause de Smirre le renard et ne se posa que sur les prés marécageux au sud de Glimmingehus.

Le garçon passa la journée assis sur la rive d'une

petite mare à essayer des chalumeaux[1]. Il était mécontent de ne pas voir la danse des grues et n'arrivait pas à se décider à en parler au jars ou à l'une ou l'autre des oies.

Le pré marécageux où paissaient les oies était bordé d'un large muret en pierres. Or, le soir, lorsque le garçon leva la tête, enfin décidé à parler à Akka, son regard se posa sur ce muret. Il poussa un petit cri de surprise et toutes les oies, levant immédiatement les yeux, regardèrent dans la même direction que lui. Pour commencer, tout comme le garçon, elles eurent l'impression que les cailloux ronds et gris qui constituaient le mur étaient pourvus de pattes et couraient, mais très vite elles se rendirent compte qu'une horde de rats galopait dessus. Ils avançaient vite et en rangs serrés, en colonnes, et si nombreux que pendant longtemps ils couvrirent entièrement le mur.

Du temps où il avait eu sa taille normale, le garçon déjà avait eu peur des rats. On imagine donc sans peine sa frayeur maintenant qu'il était si petit que deux ou trois d'entre eux auraient facilement eu raison de lui. L'un après l'autre des frissons parcoururent son corps tandis qu'il les regardait.

Et les oies, curieusement, semblaient ressentir le même dégoût que lui devant ces rats. Elles ne leur adressèrent pas la parole et, lorsqu'ils furent passés,

---

1. Roseaux dont on fait des flûtes.

elles se secouèrent comme si leurs plumes avaient été couvertes de boue.

« Tous ces rats gris dehors ! dit Yksi de Vassijaure. Voilà qui ne présage rien de bon. »

Le moment était venu pour le garçon de dire à Akka qu'il estimait qu'elle devait le laisser venir à Kullaberg, mais une nouvelle fois il en fut empêché, cette fois par l'arrivée très soudaine d'un grand oiseau qui se posa au milieu des oies.

À voir cet oiseau, on aurait pu penser qu'il avait emprunté le corps, le cou et la tête d'une petite oie blanche. Mais en outre il s'était procuré de grandes ailes noires, de hautes pattes rouges et un long bec épais, si lourd pour cette petite tête qu'il lui donnait l'air soucieux et chagrin.

Akka remit vite en ordre les rémiges[1] de ses ailes et inclina plusieurs fois le cou en s'approchant de la cigogne. Elle se demandait ce que signifiait cette visite puisque les cigognes fréquentent de préférence des gens de leur race.

« Ne me dites pas que votre habitation a été endommagée, monsieur Ermenrich », dit Akka.

On a raison de dire que les cigognes ne savent pas ouvrir le bec sans se plaindre car ce qui suivit le confirma.

Puis la cigogne demanda à brûle-pourpoint si les oies avaient vu les rats gris marcher sur Glimminge-

---

1. Grandes plumes de l'aile.

hus et, quand Akka lui eut répondu qu'elle avait effectivement vu cette horrible engeance, la cigogne entreprit de lui parler des courageux rats noirs qui depuis des années défendaient le château.

« Mais cette nuit, Glimmingehus va tomber au pouvoir des rats gris, dit la cigogne en soupirant.

— Pourquoi ce soir, justement, monsieur Ermenrich ? demanda Akka.

— Parce que tous les rats noirs sont partis hier soir pour Kullaberg, dit la cigogne, persuadés que tous les autres animaux s'y précipitaient aussi. Mais vous avez constaté que les rats gris sont restés chez eux, et les voilà maintenant qui se regroupent pour investir le château cette nuit, alors qu'il n'est plus défendu que par quelques vieux, trop faibles pour se déplacer à Kullaberg. Ils réussiront, c'est certain, mais moi qui ai vécu tant d'années en bon voisinage avec les rats noirs, je me vois mal cohabiter dans le même lieu avec leurs ennemis. »

Akka comprit alors que si la cigogne était venue la voir, c'était uniquement pour épancher son ressentiment[1] contre les rats gris, mais, comme toutes les cigognes, elle n'avait rien fait pour parer[2] au désastre.

« Avez-vous fait parvenir un message aux rats noirs, monsieur Ermenrich ? demanda-t-elle.

— Non, répondit la cigogne, cela ne servirait à

_____

1. Colère qui dure depuis longtemps, rancune.
2. Faire face à.

rien. Le château sera pris avant qu'ils aient eu le temps de revenir.

— N'en soyez pas si sûr, monsieur Ermenrich, dit Akka. Je connais une vieille oie sauvage, moi, qui serait ravie d'empêcher un tel forfait. »

De toute évidence Akka avait décidé d'aider les rats noirs. Elle appela Yksi de Vassijaure et lui ordonna de mener les oies au lac de Vomb et, à ces dernières qui présentaient des objections[1], elle répondit :

« Je crois qu'il vaut mieux pour nous toutes que vous m'obéissiez. Il faut que je gagne le toit de la grande bâtisse, et si vous me suivez, les gens de la ferme ne manqueront pas de nous voir et de nous tirer dessus. Le seul que je voudrais emmener avec moi est Poucet. Il pourra m'être utile puisqu'il a de bons yeux et sait rester éveillé pendant la nuit. »

Le garçon, ce jour-là, était d'humeur bougonne et lorsqu'il entendit Akka parler ainsi, il se redressa autant que sa petite taille le lui permettait et il s'avança, les mains dans le dos et le nez en l'air, bien décidé à dire qu'il était hors de question qu'il se lançât dans un combat contre les rats gris. Qu'elle devait aller chercher de l'aide ailleurs.

Mais à peine le garçon s'était-il montré que la cigogne frémit. Jusque-là, comme toutes les cigognes, elle était restée tête basse et le bec plaqué le long du

---

1. Protestations.

cou. Mais elle proféra alors une sorte de gargouillis au fond de sa gorge, comme un rire, elle lança son bec dans un mouvement fulgurant, saisit le garçon et le projeta à plusieurs mètres de hauteur. Sept fois elle le rattrapa et le relança ainsi, tandis que le garçon hurlait et que les oies criaient :

« Que faites-vous, monsieur Ermenrich ? Ce n'est pas une grenouille. C'est un homme, monsieur Ermenrich ! »

La cigogne finit par poser le garçon par terre sain et sauf, et dit à Akka :

« Maintenant, il est temps que je retourne à Glimmingehus, mère Akka. Tous ses habitants étaient très inquiets quand je suis partie. Soyez certaine qu'ils se réjouiront d'apprendre qu'Akka, l'oie sauvage, et Poucet, le petit d'homme, vont venir les sauver. »

Sur ces mots, la cigogne tendit le cou, ouvrit les ailes et s'envola comme une flèche qui quitte un arc tendu à l'extrême. Akka comprit que M. Ermenrich s'était moqué d'elle mais elle ne le montra pas. Elle attendit que le garçon ramassât les sabots qu'il avait perdus dans ses cabrioles, puis elle le hissa sur son dos et s'envola sur les traces de la cigogne. Le garçon, quant à lui, ne résista pas et n'essaya pas de protester. Il était si fâché contre la cigogne qu'il en reniflait de colère. Cette espèce de volatile à pattes rouges l'imaginait bon à rien à cause de sa taille, mais il allait lui montrer de quoi Nils Holgersson de Västra Vemmenhög était capable.

Quelques instants plus tard, Akka se posa dans le nid de la cigogne sur le faîte[1] de Glimmingehus. Un grand nid magnifique installé sur une roue et constitué de plusieurs couches de branchages et de touffes d'herbe.

La vieille oie et le garçon virent immédiatement qu'un événement était en train de bouleverser le cours habituel des choses. Sur le bord du nid, en un rassemblement d'ordinaire peu pacifique[2], étaient en effet posés deux hulottes, un vieux chat rayé de gris et une douzaine d'ancêtres rats aux dents difformes et aux yeux chassieux.

Aucun d'entre eux ne se retourna pour regarder Akka ou lui souhaiter la bienvenue. Tous n'étaient préoccupés que par ces quelques lignes grises qui, çà et là, traversaient les champs dénudés par l'hiver.

Les rats noirs se taisaient, visiblement accablés parce qu'ils se rendaient compte qu'ils ne sauraient défendre ni leurs vies ni le château. Les deux hulottes roulaient des yeux, faisaient frémir leurs lunettes de plumes et parlaient de leurs voix sinistres et rocailleuses de la grande cruauté des rats gris qui allaient les obliger à abandonner leurs nids, puisqu'on racontait qu'ils n'épargnaient ni les œufs ni les oisillons duveteux. Le vieux chat à rayures grises était certain que les rats gris allaient le tuer à

_____

1. Haut du toit.
2. Paisible.

coups de dents dès qu'ils investiraient le château, et il ne cessait de maugréer contre les rats noirs.

« Ce serait malheureux si à mon âge on ne savait pas se tirer d'une affaire aussi simple que celle-ci, dit Akka. Si seulement vous deux, père hulotte et mère hulotte, qui savez veiller toute la nuit, pouvez prendre l'air et porter quelques messages de ma part, je suis sûre que tout ira bien. »

Et Akka murmura le message qu'elle leur confia, tant il était secret.

Le charmeur de rats

Minuit approchait lorsque les rats gris, après avoir longuement cherché, découvrirent un soupirail laissé ouvert. Il était placé en hauteur mais les rats grimpèrent les uns sur les autres et, en peu de temps, le plus courageux d'entre eux fut sur le rebord, prêt à pénétrer dans Glimmingehus, devant lequel tant de ses ancêtres étaient tombés.

Le rat gris, qui s'attendait à se faire attaquer, resta un moment immobile dans le soupirail. Il savait que le gros des défenseurs était absent mais il supposait que les rats noirs demeurés dans le château ne se rendraient pas sans combattre. Le cœur battant, il épia les moindres bruits, mais tout restait silencieux. Alors, le chef des rats gris rassembla son courage et sauta à l'intérieur de la cave, droit dans l'obscurité complète.

L'un après l'autre, les rats gris suivirent leur chef et tous encore s'attendaient à une riposte[1] des rats noirs. Ils n'osèrent s'aventurer plus loin que lorsqu'ils furent si nombreux dans la cave que pas un de plus n'aurait pu y pénétrer.

Ils n'étaient jamais entrés dans la bâtisse auparavant mais cela ne les gêna pas. Très rapidement ils découvrirent les passages dans les murs qui permettaient aux rats noirs de passer à l'étage supérieur.

Les rats noirs restaient invisibles. Les rats gris se disaient qu'ils s'étaient enfuis sans envisager d'opposer la moindre résistance, et ce fut le cœur léger qu'ils escaladèrent les coffres à blé.

Mais à peine avaient-ils croqué quelques grains que les rats gris entendirent en bas dans la cour le son aigrelet[2] d'un fifre[3]. Les rats gris dressèrent la tête, écoutèrent d'un air inquiet, bougèrent de quelques pas comme s'ils voulaient s'éloigner des coffres mais firent ensuite demi-tour et revinrent manger.

Une nouvelle fois on entendit les notes aiguës et perçantes du fifre, et cette fois-ci le résultat fut étrange. Un rat, puis deux rats, oui, tout un groupe de rats même, abandonnèrent le blé, sautèrent à bas

1. Vengeance, représailles.
2. Aigu.
3. Petite flûte.

des coffres et, par le chemin le plus court, filèrent dans la cave et sortirent du château. Un grand nombre de rats restaient cependant encore. Ils songeaient au mal qu'ils avaient eu à s'emparer de Glimmingehus : pour eux, pas question de l'abandonner. Mais de nouvelles notes du fifre leur parvinrent et ils se sentirent obligés de les suivre. Ils se précipitèrent hors des coffres dans la plus grande bousculade, se pressèrent par les trous dans les murs et, dans leur hâte de sortir, boulèrent les uns par-dessus les autres.

Au milieu de la cour se tenait un petit gamin qui soufflait dans un fifre. Autour de lui, un tas de rats étaient déjà assemblés et qui l'écoutaient, ravis et subjugués, tandis que sans cesse il en arrivait d'autres. Une fois, il écarta le fifre de ses lèvres, rien qu'une seconde pour pouvoir leur faire un pied de nez, mais ce fut alors comme s'ils avaient eu envie de se jeter sur lui pour le dévorer ; pourtant, dès qu'il se remit à jouer ils furent à nouveau en son pouvoir.

Lorsque le gamin, à l'aide de son fifre, eut fait sortir tous les rats gris de Glimmingehus, il s'éloigna lentement de la cour et se dirigea vers la route, et tous les rats gris le suivirent, parce qu'ils étaient incapables de résister aux notes de ce fifre si délicieuses à leurs oreilles.

Le gamin, toujours en tête, les emmena ainsi avec lui sur le chemin de Vallby. Il les mena par toutes sortes de lacets, de virages et de boucles, traversa des haies et des fossés, mais où il allait ils le suivaient. Et sans cesse il soufflait dans son fifre.

Et en vérité les rats ne savaient pas résister au fifre. Le garçon les précéda sans cesser de jouer tant que dura la lumière des étoiles, et sans arrêt ils le suivirent. Il joua encore durant l'aube, et durant le lever du soleil, et toujours le suivait cette horde de rats gris, entraînée de plus en plus loin des riches greniers à blé de Glimmingehus.

5

La grande danse
des grues à Kullaberg

Mardi 29 mars.

Il faut reconnaître qu'en Scanie l'homme a érigé de nombreux bâtiments magnifiques, mais jamais il n'a réussi d'aussi belles murailles que les rochers de Kullaberg. Ces falaises superbes, dressées face à une étendue de mer bleue dans un air vif et scintillant, sont si appréciées des gens que de véritables foules s'y rendent chaque jour durant tout l'été. Il est plus difficile, par contre, de savoir ce qui attire ici les animaux qui, chaque année, s'y réunissent en une vaste assemblée. Mais la coutume remonte à la nuit des temps et il aurait fallu être présent le jour où la première vague, dans une gerbe d'écume, s'écrasa sur la rive pour expliquer pourquoi Kullaberg, de préférence à tout autre lieu, fut choisie comme site de l'assemblée.

Quand le rassemblement approche, les cerfs, les chevreuils, les lièvres, les renards et autres animaux sauvages à quatre pattes se dirigent vers Kullaberg dès la nuit précédente pour ne pas être vus des hommes. Juste avant le lever du soleil, ils marchent tous vers l'aire de jeux, une lande de bruyère à gauche de la route, non loin du promontoire le plus avancé.

Quand tous ont pris place, ils commencent à chercher les oiseaux des yeux. D'habitude, il fait toujours beau ce jour-là. Les grues possèdent le don de prévoir le temps, et elles n'inviteraient pas tous les animaux à se rassembler si elles attendaient de la pluie. Mais, bien que l'air soit limpide et que rien ne bouche la vue, les quadrupèdes ne voient pas d'oiseaux. Étrange. Le soleil est déjà haut dans le ciel et les oiseaux devraient déjà approcher.

Mais ensuite les animaux de Kullaberg remarquent quelques petits nuages sombres qui, par-ci, par-là, se déplacent lentement au-dessus de la plaine. Oui, c'est eux ! Une de ces nuées se dirige maintenant brusquement vers Kullaberg en longeant la côte de l'Oresund puis se pose et, l'instant d'après, la colline est complètement recouverte d'alouettes grises, de superbes pinsons rouge, gris et blanc, d'étourneaux tachetés et de mésanges vert et jaune.

Un peu plus tard, un autre nuage survole la plaine. Quand il s'immobilise à l'aplomb de l'aire de jeux, il cache le soleil, et une longue pluie d'oiseaux tombe avant que ceux qui volaient au centre du nuage puissent à nouveau voir la lumière du jour.

Mais la plus importante de ces nuées d'oiseaux est pourtant celle qui apparaît maintenant ; elle est formée d'une multitude de vols venus de toute part et qui se sont rassemblés. La nuée est d'un gris de plomb et aucun rayon de soleil ne peut la traverser. Et autour de l'aire elle se dissout en une pluie de battements d'ailes et de croassements de corneilles et de choucas, de corbeaux et de freux.

Puis sur le ciel apparaissent non plus des nuées mais quantité de traits et de signes. Des lignes pointillées s'inscrivent à l'est et au nord-est. Ce sont les oiseaux des forêts du canton de Göinge : les tétras-lyres[1] et les grands coqs de bruyère qui volent en rangs espacés de quelques mètres.

L'année où Nils Holgersson voyageait avec les oies sauvages, Akka et sa bande arrivèrent plus tard que tous les autres à la grande assemblée. Akka avait dû partir à la recherche de Poucet qui, des heures durant, avait marché en jouant de son fifre pour éloigner les rats de Glimmingehus.

Mais ce ne fut pas Akka qui découvrit le garçon

---

1. Les tétras-lyres sont appelés aussi coqs des bouleaux, coqs des montagnes ou petits coqs de bruyère.

marchant en tête de sa longue troupe, ni qui plongea à toute allure sur lui, le saisit par le bec et le remonta dans les airs, ce fut M. Ermenrich, la cigogne. Car M. Ermenrich lui aussi s'était lancé à sa recherche et, lorsqu'il l'eut déposé dans son nid, il lui demanda de lui pardonner son irrévérence de la veille au soir.

Le garçon fut comblé, et la cigogne et lui devinrent de bons amis. Akka aussi fit preuve de gentillesse à son égard, plusieurs fois elle frotta sa tête contre le bras du garçon et le félicita d'avoir aidé ceux qui étaient en détresse.

« Je crois que nous pouvons avoir confiance en lui comme en nous-mêmes », ajouta-t-elle.

Immédiatement, la cigogne acquiesça avec ardeur.

« Vous devez emmener Poucet à Kullaberg, mère Akka, dit-elle. Puisque nous avons une occasion unique de le récompenser pour tout ce qu'il a enduré cette nuit à cause de nous. »

Et tous reprirent leur vol vers Kullaberg.

Là, ils s'installèrent sur le sommet de la hauteur réservée aux oies sauvages et le garçon, parcourant les autres buttes du regard, vit sur la crête de l'une d'elles se dessiner les bois largement ramifiés[1] des cerfs, et sur une autre les huppes des grues cendrées. Une butte était rouge de renards, une autre noire et blanche d'oiseaux de mer, une autre encore grise de

---

1. Qui comportent plusieurs branches.

rats. L'une était couverte de corbeaux noirs qui criaient continuellement, une autre d'alouettes incapables de se tenir tranquilles et qui sans cesse se lançaient en l'air et chantaient leur bonheur.

Selon la coutume inchangée de Kullaberg, les corneilles commencèrent les jeux et plaisanteries de la journée par leur danse en vol. Elles s'élevèrent en deux bandes qui ensuite se rencontrèrent, firent demi-tour puis recommencèrent.

Dès que les corneilles eurent terminé, les lièvres accoururent. Sans cesser de courir, ils tournoyaient, sautaient haut en l'air et de leurs pattes avant frappaient bruyamment leurs côtes.

Lorsque les lièvres eurent fini leurs ébats, ce fut au tour des grands oiseaux des bois de se présenter. Des centaines de gros coqs de bruyère au plumage noir-brun et luisant, aux sourcils écarlates, s'élancèrent dans un grand chêne qui se dressait au milieu de l'aire de jeux. Celui qui s'était perché sur la plus haute branche gonfla ses plumes, baissa les ailes et déploya sa queue pour montrer ses tectrices[1] blanches. Puis il tendit le cou, gonfla sa gorge et émit quelques sons graves.

« Tchec, tchec, tchec », entendit-on.

Incapable d'en articuler plus, il produisit quelques gloussements du fond de sa gorge, puis il ferma les yeux et chuchota :

---

1. Plumes du dos des oiseaux.

« Siss, siss, siss. Que c'est beau ! Siss, siss, siss. »

Et dès lors il fut saisi d'un tel ravissement qu'il en oublia tout ce qui se passait autour de lui.

Tandis que le premier coq de bruyère était encore occupé à produire ses gloussements, les trois perchés juste en dessous de lui se mirent à chanter, et ils n'avaient pas terminé leur chanson que les dix perchés plus bas avaient commencé aussi, et cela continua ainsi de branche en branche, jusqu'à ce que la centaine de coqs de bruyère ne fût plus que chants, gloussements et sifflements.

« Oui, sans nul doute le printemps est là, pensèrent les multiples espèces d'animaux. Le froid de l'hiver s'en est allé. Le feu du printemps réchauffe la terre. »

Mais lorsque les tétras-lyres se rendirent compte du succès des coqs de bruyère, ils ne surent garder le silence. Ne trouvant point d'arbre où ils auraient pu se percher, ils se ruèrent sur l'aire de jeux où la bruyère était si haute qu'on ne vit plus dépasser que leurs gros becs et les plumes si joliment courbées de leurs queues, et ils entonnèrent leur chant :

« Orr, orr, orr. »

Au moment même où les tétras entraient en compétition avec les coqs de bruyère, quelque chose d'inouï se passa. Tandis que les animaux ne pensaient à rien d'autre qu'au chant des coqs, un renard se faufila furtivement jusqu'à la butte des oies sauvages. Avançant ainsi avec une extrême prudence, il fut en haut avant d'être remarqué. Mais, soudain, une oie sauvage l'aperçut quand même et, convaincue qu'un renard ne pouvait se glisser parmi elles avec de bonnes intentions, elle se mit à crier :

« Attention, les oies ! attention ! »

Le renard la mordit alors à la gorge, avant tout pour la faire taire probablement, mais déjà les oies sauvages avaient entendu le cri et toutes s'envolèrent. Et lorsqu'elles furent là-haut, les animaux virent sur la colline désertée Smirre le renard, une oie morte dans la gueule.

Pour avoir ainsi rompu la trêve de la journée des jeux, Smirre fut condamné à un châtiment si sévère que, tout le restant de sa vie, il regretta de n'avoir su refréner sa soif de vengeance contre Akka et sa bande : immédiatement, il fut entouré d'une foule de renards et jugé selon la vieille coutume qui veut que quiconque dérange la paix durant le jour des jeux soit condamné à l'exil. Il lui fallait quitter la Scanie, quitter sa femme et sa famille, ses terrains de chasse, son logis, ses lieux de repos et les cachettes qui jusqu'à présent avaient été les siennes. Et, pour que tous les renards de Scanie pussent savoir qu'il était un proscrit, le doyen des renards lui trancha la pointe de l'oreille d'un coup de dents. À peine cela fait, tous les jeunes renards assoiffés de sang se jetèrent sur lui en glapissant. Il ne restait plus à Smirre qu'à détaler et, tous les jeunes renards à ses trousses, il s'enfuit de Kullaberg au plus vite.

Le concours des tétras et des coqs de bruyère était à peine achevé que les cerfs de Häckeberga s'avancèrent pour leurs joutes[1]. Deux par deux, plusieurs cerfs luttèrent simultanément. Ils se ruaient l'un sur l'autre avec une extrême vigueur, croisaient leurs bois dont les ramifications s'imbriquaient les unes dans les autres et chacun essayait de faire reculer son concurrent.

Sur toutes les buttes les animaux silencieux retenaient leur souffle. Et de voir combattre ces experts de la lutte éveillait en eux de nouveaux sentiments. Chacun se sentait fort et courageux, revigoré[2] de forces nouvelles, comme ressuscité par le printemps, brave et prêt à toutes les aventures.

Mais un chuchotement parcourut les collines :

« Ça va être au tour des grues, maintenant. »

Et les oiseaux gris s'avancèrent, dans leur habit de crépuscule, les ailes ornées de plumeaux, un panache rouge dressé sur la nuque. Comme emportés par un étrange vertige, les longs oiseaux haut perchés sur leurs pattes, avec leurs cous graciles[3] et leurs petites têtes, bondirent sur l'aire et, dans un même élan, tournoyèrent sur eux-mêmes, en un mouvement à la fois de danse et de vol. Leurs ailes gracieusement relevées, ils se déplaçaient à une vitesse incroyable. Leur danse avait quelque chose d'étrange et

---

1. Compétitions.
2. Plus fort.
3. Minces et gracieux.

d'inconnu. On aurait dit que des ombres grises jouaient un jeu que l'œil ne pouvait suivre. Un jeu que les grues avaient sans doute appris des brumes qui flottent sur les marécages perdus. Il y avait de la magie là-dedans ; et tous ceux qui jamais auparavant n'étaient venus à Kullaberg comprirent pourquoi le rassemblement portait le nom de Danse des grues. La sauvagerie n'était pas absente de cette danse, mais le sentiment qu'elle suscitait était avant tout une douce nostalgie. Personne ne pensait plus à lutter. Au lieu de ça, tous les animaux, qu'ils fussent à plumes ou sans plumes, ne désiraient plus que s'élever vers l'infini, monter au-delà des nuages pour découvrir ce qui s'y trouvait, abandonner leur corps pesant qui les retenait sur terre et s'envoler dans l'air.

6

Temps de pluie

Mercredi 30 mars.

C'était le premier jour de pluie du voyage. Le garçon, grelottant de froid, dut rester assis sur le dos trempé du jars.

Mais pas une seule fois il ne perdit courage pendant le vol et il ne le perdit pas non plus lorsque, dans l'après-midi, ils se posèrent sous un petit pin rabougri au milieu d'un marécage où tout était mouillé et tout était froid, où certaines touffes restaient couvertes de neige et d'autres se dressaient, nues, dans des flaques d'eau glacée, à peine fondue. Mais, plus tard, le soir vint et l'obscurité devint si épaisse que même des yeux comme ceux du garçon étaient incapables de la percer, et la nature sauvage devint horrible et angoissante. Le garçon était blotti sous l'aile du jars mais, trempé et gelé, il n'arrivait pas à dormir. Partout il entendait des froissements, des crissements, des pas furtifs et des voix menaçantes, et la terreur qui montait en lui était telle qu'elle le paralysait. Il fallait qu'il trouvât un endroit où brillaient le feu et la lumière s'il ne voulait pas mourir de frayeur.

« Et si j'osais retrouver les hommes, pour une nuit seulement ? pensa le garçon. Rien que pour rester un moment près d'un feu et pouvoir manger un morceau. Je pourrais revenir avec les oies sauvages avant le lever du soleil. »

Il se dégagea de l'aile et glissa à terre puis, sans réveiller le jars ni aucune des oies, il se faufila en silence hors du marécage.

Juste avant de descendre dans le marécage, il avait aperçu un gros village et c'est vers celui-ci qu'il se dirigeait maintenant. En peu de temps il découvrit une route et, bientôt, il se trouva dans la rue du village, une longue rue bordée d'arbres et de maisons accolées les unes aux autres.

Le garçon était arrivé à l'un de ces villages construits autour d'une église, si fréquents plus au nord mais que l'on ne voit guère dans les plaines de Scanie.

Tout en marchant et en contemplant les maisons, le garçon entendait les gens installés chaudement à l'intérieur rire et parler. Il n'arrivait pas à discerner les paroles mais il était heureux d'entendre des voix humaines. « Je me demande bien ce qu'ils diraient si je frappais à la porte et leur demandais de me laisser entrer, pensa-t-il. Je vais visiter ce village encore un moment, ensuite j'irai frapper chez quelqu'un. »

Une des maisons était pourvue d'un balcon et, au moment où le garçon passait en contrebas, les portes du balcon furent ouvertes et une lumière jaune filtra à travers des rideaux minces et légers. Puis une jolie jeune femme sortit sur le balcon et se pencha sur la balustrade.

« Il pleut, le printemps arrive », dit-elle.

En la voyant, le garçon ressentit une angoisse étonnante, comme s'il avait été sur le point de pleurer. Pour la première fois il se sentit inquiet d'être ainsi à l'écart des hommes.

Un peu plus tard, il arriva à hauteur d'un magasin devant lequel était rangée une semeuse mécanique rouge. Il s'arrêta, la contempla, puis finit par grimper sur le siège du cocher. Une fois installé là, il fit claquer ses lèvres comme s'il avait lancé un attelage. Il se dit que ce devait être merveilleux de mener une si belle machine à travers champs. L'espace d'un instant, il avait oublié ce qu'il était mais il en reprit vite conscience et sauta prestement au bas de la machine. Une inquiétude de plus en plus vive l'étreignait : qui, comme lui, allait continuellement vivre parmi les animaux, passerait sans doute à côté d'une foule de choses. Les humains étaient quand même étonnamment habiles.

Ensuite, devant le bureau de poste, il pensa à tous ces journaux qui, chaque jour, apportent les nouvelles des quatre coins du monde. Il vit la pharmacie et la maison du docteur, et il se dit que les hommes étaient assez puissants pour lutter contre la maladie et la mort. Il passa devant l'église et comprit qu'elle avait été construite par des hommes, qui désiraient s'y rendre pour y entendre parler d'un monde existant au-delà de celui dans lequel ils vivaient, de Dieu et de la résurrection et d'une vie éternelle. Et plus il parcourait ce village, plus il aimait les hommes. Nils Holgersson n'avait pas réfléchi à ce qu'il perdait en choisissant de rester tomte, et maintenant il se sentait terrorisé par l'idée de ne plus jamais pouvoir retrouver sa véritable nature.

Comment faire pour redevenir homme ? Il aurait aimé le savoir.

Il monta les marches d'un escalier et s'assit sous la pluie battante pour réfléchir. Une heure, deux heures, il resta assis là à réfléchir si profondément qu'une ride se creusa sur son front. Mais il n'en fut pas plus avancé. C'était comme si les pensées n'avaient fait que se bousculer dans sa tête. Plus il réfléchissait et plus la solution paraissait impossible.

« Ce doit être trop difficile pour quelqu'un qui a appris aussi peu de choses que moi, songea-t-il finalement. Il faudra qu'un jour je me décide à retourner chez les hommes. Et je demanderai au prêtre, au docteur et à l'instituteur et à tous ceux qui ont de l'instruction et qui doivent connaître le remède contre ce genre de choses. »

Oui, il décida même de le faire sans tarder. Il se leva, se secoua car il était mouillé comme un chien qui vient de traverser une flaque d'eau.

Au même moment, il vit arriver en volant un gros hibou qui alla se poser dans un des arbres qui bordaient la rue du village. Tout de suite après, une hulotte, perchée sous la corniche, se mit à remuer et cria :

« Kivitt, kivitt, tu es rentré, hibou ? Comment était-ce à l'étranger ?

— Merci à toi, hulotte ! C'était bien, dit le hibou brachyote. Rien de spécial, pendant mon absence ?

— Pas ici, en Blekinge, hibou, mais si je te disais qu'en Scanie un garçon a été transformé par un tomte et rendu aussi petit qu'un écureuil avant de s'en aller pour la Laponie sur le dos d'une oie domestique ?

— En voilà une nouvelle étonnante, une nouvelle étonnante. Ne pourra-t-il donc jamais retrouver sa forme humaine ? Jamais redevenir homme ?

— C'est un secret, hibou, mais je te l'apprendrai quand même. Le tomte a dit que si le garçon veillait sur le jars domestique et le ramenait sain et sauf à la ferme, il...

— Raconte, hulotte ! Raconte !

— Suis-moi jusqu'au clocher, hibou, et tu sauras tout ! J'ai peur que quelqu'un nous entende ici dans la rue du village. »

Là-dessus, les oiseaux de nuit s'envolèrent, mais le garçon, lui, lança son bonnet en l'air.

« Si je veille sur le jars et le ramène sain et sauf à la maison, je redeviendrai humain. Youpi ! Youpi ! Je redeviendrai humain ! »

Et, aussi vite que ses jambes le lui permettaient, il courut rejoindre les oies sauvages dans le marécage.

7

Au bord de la rivière de Ronneby

Vendredi 1er avril.

Pour le lendemain, les oies sauvages avaient prévu de remonter vers le nord en traversant le canton d'Allbo, dans le Småland. Elles envoyèrent Yksi et Kaksi en reconnaissance mais celles-ci revinrent pour dire que les eaux étaient gelées et la terre partout couverte de neige.

« Dans ce cas, nous pouvons tout aussi bien rester là où nous sommes, dirent les oies sauvages. Nous ne pouvons pas survoler des régions sans eau ni pâturages.

— Si nous demeurons ici, ce sera peut-être pour

une lunaison[1] entière, leur répliqua Akka. Mieux vaut partir vers l'est à travers le Blekinge et tenter ensuite de traverser le Småland par le canton de Möre où le printemps est précoce[2] puisque c'est en bordure de mer. »

En quittant la Scanie, ni les oies sauvages ni Smirre le renard n'auraient imaginé qu'ils se rencontreraient à nouveau. Or, les oies sauvages, en choisissant de passer par le Blekinge, se rendaient justement là où s'était enfui Smirre.

Un après-midi, tandis que Smirre rôdait dans une forêt vide de la région intermédiaire, non loin de la rivière de Ronneby, il aperçut dans le ciel une bande d'oies sauvages. Très vite, il sut à qui il avait affaire.

Sans tarder, il se lança à la poursuite des oies, poussé autant par la faim que par le désir de se venger des multiples affronts qu'elles lui avaient infligés. Il les vit voler vers l'est jusqu'à la rivière de Ronneby, là, elles obliquèrent et suivirent la rivière vers le sud. Comprenant qu'elles cherchaient un endroit proche de l'eau où passer la nuit, il se dit qu'il pourrait s'emparer d'une ou deux d'entre elles sans trop de peine.

Mais quand Smirre vit enfin l'endroit où les oies s'étaient posées, il se rendit compte qu'elles avaient

---

1. Un mois, le temps durant lequel la lune croît et décroît.
2. Qui vient vite, avant l'heure normale.

choisi un coin si bien protégé que jamais il ne pourrait les atteindre.

La rivière de Ronneby n'est ni remarquablement longue ni puissante mais elle est renommée pour ses rives superbes. En plusieurs endroits, elle se glisse entre des parois rocheuses abruptes, dressées à la verticale de l'eau et couvertes de chèvrefeuille et de merisiers, d'aubépines et d'aulnes, de sorbiers et de saules.

Les oies sauvages avaient trouvé, au pied d'une falaise vertigineuse, une bande de sable suffisamment large pour les accueillir. Devant elles bruissait la rivière, violente et impétueuse en cette époque de fonte des neiges, et derrière s'élevait un rocher infranchissable. Dissimulées sous des branches pendantes, elles ne pouvaient se trouver mieux.

Les oies s'endormirent immédiatement mais le garçon ne put fermer l'œil. Dès que le soleil disparaissait, il avait peur du noir, la nature sauvage le terrorisait et il ressentait la nostalgie des humains. S'il s'enfouissait complètement sous l'aile d'oie, il ne voyait rien et n'entendait pratiquement rien, et il pensait que, si quelque chose de fâcheux devait arriver au jars, jamais il ne serait en mesure de le secourir. Partout il entendait bruissements et chuchotements et, bientôt, son inquiétude fut telle qu'il sortit de dessous l'aile et alla s'asseoir par terre à côté des oies.

Perché en haut du rocher, Smirre, comme tous les

renards, ne pouvait lâcher une entreprise entamée, il resta donc au bord du rocher et ne quitta pas les oies sauvages des yeux.

Tandis que allongé par terre il les observait ainsi, il repensa à tout le mal qu'elles lui avaient fait. Oui, c'était leur faute s'il avait été banni de Scanie et condamné à s'exiler dans le Blekinge si pauvre. Et il s'échauffait tant en pensant à cela qu'il souhaitait la mort des oies, même s'il ne devait pas les manger lui-même.

Il en était à ce point de hargne[1] lorsqu'il entendit un grattement dans un pin dressé tout près de lui et vit un écureuil qui en descendait, poursuivi par une martre. Ni l'un ni l'autre ne remarquèrent Smirre qui, immobile, suivit la poursuite d'arbre en arbre.

Dès que l'écureuil eut été attrapé et que la chasse fut finie, Smirre s'avança vers la martre, mais il s'arrêta à deux pas d'elle, pour lui montrer qu'il ne cherchait pas à lui dérober sa proie. Très aimablement, il la salua et la félicita pour sa capture. Comme tous les renards, Smirre sut pour cela bien tourner ses phrases. La martre, par contre, répondit à peine.

« Je m'étonne cependant, dit Smirre, qu'un chasseur comme toi se contente de chasser des écureuils quand un gibier bien plus succulent[2] se trouve à portée. »

---

1. Énervement, colère.
2. Délicieux.

Là, il fit une pause mais, comme la martre ricanait d'un air arrogant, il poursuivit :

« Est-il vraiment possible que tu n'aies pas vu les oies sauvages installées au pied de la falaise ? À moins que tu ne sois pas assez habile grimpeuse pour descendre jusqu'à elles ? »

Cette fois-ci, la réponse ne se fit pas attendre. La martre se jeta sur lui, le dos rond et les poils hérissés.

« Tu as vu des oies sauvages ! cracha-t-elle. Où sont-elles ? Dis-moi ça tout de suite sinon je t'égorge !

— Hé là, hé là, souviens-toi que je suis deux fois plus gros que toi, et sois un peu plus polie. Je ne demande pas mieux que de te montrer les oies sauvages. »

Un instant plus tard, la martre descendait la falaise.

Mais au moment où Smirre s'attendait à entendre les cris d'agonie des oies, il la vit basculer d'une branche et tomber dans la rivière en une gerbe d'éclaboussures. L'instant d'après, on entendit des claquements d'ailes vigoureux : les oies s'envolaient précipitamment.

« Je savais bien que tu étais assez maladroite pour tomber dans la rivière, dit Smirre, méprisant.

— Il n'est pas question de maladresse, répondit la martre. J'avais atteint une des branches les plus basses et je réfléchissais à la manière dont j'allais pouvoir tuer un maximum d'oies, quand un petit marmot, pas plus gros qu'un écureuil, a surgi et m'a lancé un caillou sur la tête avec une telle force que je suis tombée dans l'eau, et le temps d'en sortir... »

Pendant ce temps, Akka s'était dirigée vers le sud, à la recherche d'un nouveau gîte. Le jour qui n'était pas totalement tombé et la lune à moitié pleine lui permettaient de voir à peu près. Elle arriva ainsi à Djupafors, où la rivière disparaît dans une crevasse pour ensuite, aussi limpide et transparente que du verre, se précipiter dans un étroit ravin au fond duquel elle se brise en gouttes étincelantes et en écume légère. En bas de cette chute blanche se trouvaient quelques rochers entre lesquels l'eau tourbillonnait en vagues tumultueuses, et ce fut là qu'Akka décida de s'arrêter. Une fois encore, le gîte était bien choisi, surtout à une heure aussi tardive, quand plus un seul homme ne se trouvait dehors.

Les oies s'endormirent immédiatement mais le garçon, incapable de dormir, resta à côté d'elles pour pouvoir veiller sur le jars.

Un moment plus tard, Smirre arriva en courant le long de la berge. Il découvrit vite les oies, plantées au milieu des tourbillons d'écume, et il comprit qu'une nouvelle fois il ne pourrait jamais les atteindre.

Soudain, il vit une loutre émerger du courant, un poisson dans la bouche.

« Ça m'étonne que tu te contentes d'attraper du

poisson quand il y a plein d'oies sauvages sur les rochers, dit Smirre, si impatient qu'il ne cherchait plus à faire de belles phrases.

— Je les connais, Smirre, tes ruses pour t'approprier[1] une truite saumonée, dit-elle.

— Tiens, c'est toi, Gripe, dit Smirre ravi puisqu'il savait que cette loutre était une nageuse intrépide et habile. Je comprends maintenant pourquoi tu préfères ignorer les oies, vu que tu es incapable de les atteindre. »

Mais la loutre aux pieds palmés, à la queue rigide qui valait bien une rame et à la fourrure imperméable, ne voulait pas qu'il fût dit qu'il existait un torrent qu'elle n'avait su franchir. Elle se tourna vers la rivière et, dès qu'elle eut distingué les oies sauvages, elle jeta au loin son poisson et se précipita sur la berge escarpée pour rejoindre l'eau.

Smirre, sur la berge, essayait de suivre la progression de la loutre, enfin il la vit se hisser tout près des oies sauvages. Mais à ce moment précis il l'entendit pousser un hurlement sauvage. La loutre tomba à la renverse dans la rivière et fut emportée, aussi facilement que si elle n'avait été qu'un chaton aveugle. Puis l'on entendit le bruyant claquement des ailes et les oies s'envolèrent à la recherche d'un autre gîte pour la nuit.

La loutre ne tarda pas à rejoindre la terre ferme.

_____
1. Saisir, s'emparer.

Elle ne dit rien mais entreprit de lécher une de ses pattes de devant. Lorsque Smirre se moqua de son échec, elle répliqua violemment :

« Je sais nager comme il faut, Smirre. Mais j'étais parvenue au niveau des oies et m'apprêtais à bondir sur elles lorsqu'un petit gamin est arrivé en courant et m'a planté dans le pied un bout de fer pointu. Cela m'a fait si mal que j'ai perdu l'équilibre et me suis retrouvée emportée par le courant. »

La loutre put arrêter là son récit. Smirre était déjà loin, à la poursuite des oies.

Une nouvelle fois Akka et sa bande durent entreprendre un vol nocturne. Légèrement au sud de la ville, non loin de la mer, est installée la station thermale de Ronneby, avec ses bains et sa source, ses grands hôtels et ses petits pavillons d'été pour les curistes. Tout cela reste vide et désert pendant l'hiver, tous les oiseaux le savent et nombreuses sont les bandes qui pendant les tempêtes cherchent abri sur les terrasses et les vérandas des bâtiments désertés.

Cette nuit-là, les oies sauvages se posèrent sur un balcon et, comme d'habitude, elles s'endormirent immédiatement. Le garçon, par contre, ne trouva pas le sommeil, parce qu'il ne voulait pas se fourrer sous l'aile du jars.

Orienté plein sud, ce balcon avait vue sur la mer et, ne pouvant dormir, le garçon contempla cette côte du Blekinge où la mer et la terre se rejoignent superbement. Mais soudain il entendit un glapissement horrible monter du parc de l'établissement de bains. Et quand il se leva, il vit, en bas dans la cour au pied du balcon, un renard immobile dans la lueur de la lune. Car une nouvelle fois Smirre avait suivi les oies et, les ayant trouvées, il avait compris que cette fois jamais rien ne pourrait les atteindre, alors il hurlait son dépit.

En entendant le renard hurler ainsi, Akka se réveilla. Elle ne voyait pratiquement rien dans l'obscurité mais elle crut reconnaître la voix.

« C'est toi, Smirre, qui rôdes dans la nuit ? demanda-t-elle.

— Oui, répondit-il. Et j'aimerais avoir votre avis sur la nuit que je viens de vous offrir.

— Veux-tu dire par là que c'est à toi que nous devons le passage de la martre et de la loutre ? questionna Akka.

— Je ne nierai pas l'exploit, dit Smirre. Vous avez joué au jeu de l'oie avec moi l'autre jour. Maintenant je commence à jouer au jeu du renard avec vous. Et sachez que je n'ai pas l'intention de m'arrêter tant qu'une seule de votre clan restera en vie, dussé-je être obligé de parcourir tout le pays derrière vous. Si tu acceptais de me jeter ce Poucet qui tant de fois m'a défié, je promets que je conclurai la paix avec toi, que plus jamais je ne vous poursuivrai, ni toi ni aucune autre de ta bande.

— Jamais je ne te livrerai Poucet, s'écria Akka. Sache que de la plus jeune à la plus âgée nous sommes toutes prêtes à donner notre vie pour lui.

— Vous le chérissez tant ! dit Smirre. Alors je te promets qu'il sera le premier d'entre vous à subir ma vengeance. »

Akka ne répliqua plus, Smirre lança quelques glapissements, puis tout fut silencieux. Le garçon était toujours éveillé. Maintenant, c'étaient les réponses d'Akka au renard qui l'empêchaient de dormir. Jamais il ne s'était attendu à cela, à ce que quelqu'un fût prêt à donner sa vie pour lui. Et à dater de ce moment, on ne put plus dire de Nils Holgersson qu'il n'aimait personne.

8

Le voyage à Öland

Dimanche 3 avril.

C'était un soir de pleine lune à Karlskrona. Le temps était beau et calme mais dans la journée il y avait eu du vent et de la pluie, et les gens devaient imaginer que cela continuait car presque personne n'osait s'aventurer dans les rues.

Tandis que la ville était ainsi abandonnée, Akka et sa bande arrivèrent au-dessus de l'île de Vämm et des brisants de Pantar. Il était tard mais elles continuaient à voler, en quête d'un gîte sûr pour la nuit dans l'archipel. Sur le continent, partout où elles allaient, Smirre le renard venait les déranger.

Perché là-haut dans les airs, le garçon contemplait

la mer et l'archipel étendu au-dessous de lui et leur trouvait un air étrange et fantomatique. Le ciel n'était plus bleu mais tendu sur sa tête comme une coupole vitrée verte. La mer était d'un blanc laiteux. Aussi loin que portait son regard, il voyait de petites vagues rouler leurs crêtes d'écume argentée. Sur toute cette blancheur, la multitude d'îles de l'archipel tranchait en un noir d'encre.

Les oies sauvages étaient allées paître sur une des îles. Elles y rencontrèrent quelques oies grises qui furent très étonnées de voir ici leurs cousines sauvages qui d'habitude préféraient voler au-dessus du continent. Curieuses et indiscrètes, elles réclamèrent l'histoire complète des démêlés[1] avec Smirre le renard. Le récit terminé, une oie grise qui semblait aussi âgée et aussi sage qu'Akka dit :

« C'est un grand malheur pour vous que le renard ait été déclaré hors la loi dans sa province. Il tiendra certainement parole et vous suivra jusqu'en Laponie. À votre place, je ne rejoindrais pas la côte et le Småland mais je ferais le détour par l'île d'Öland pour qu'il perde votre piste. Et pour le fourvoyer[2] plus encore, séjournez quelque temps à la pointe sud d'Öland. Nourriture et bonne compagnie y abondent, et vous ne regretterez certainement pas ce détour. »

---

1. Disputes.
2. Tromper.

Le conseil était excellent et les oies sauvages décidèrent de le suivre. Dès qu'elles eurent mangé à leur faim, elles entreprirent le voyage pour Öland. Aucune d'entre elles n'y était jamais allée mais l'oie grise leur avait donné de nombreux repères. Il leur suffisait de voler droit vers le sud jusqu'au point où elles croiseraient la grande voie de migration des oiseaux au large du Blekinge, de tous ces oiseaux qui passaient l'hiver sur la mer de l'ouest et rejoignaient maintenant la Finlande et la Russie. Tous prenaient un temps de repos sur Öland. Les oies sauvages n'auraient aucun mal à trouver des guides.

Ce jour-là, le temps, calme et chaud, était celui d'un jour d'été, et le meilleur qu'on pût imaginer pour survoler la mer même si une sorte de brume grise voilait le ciel et que, çà et là, d'énormes masses nuageuses descendaient jusqu'à la surface de la mer et bouchaient la vue.

Lorsque les voyageuses eurent franchi les archipels, la mer s'étala si brusquement dans toute son étendue miroitante que le garçon, jetant un coup d'œil en bas, eut l'impression que l'eau avait disparu. Et la terre aussi ! Il n'y avait que des nuages et du ciel autour de lui. Saisi de vertige, plus angoissé qu'au premier jour, il se cramponna au dos du jars. Mais c'était comme s'il n'avait pu y rester, sans cesse il risquait de basculer d'un côté ou de l'autre.

Et ce fut pire encore quand ils atteignirent la grande voie de migration dont l'oie grise avait parlé.

Des nuées et des nuées d'oiseaux filaient effectivement toutes dans la même direction, comme si elles avaient suivi un chemin balisé. Et le garçon, se penchant en avant pour regarder du côté où devait se trouver la mer, vit toutes ces files d'oiseaux qui se reflétaient dans l'eau, et il se trouvait dans un tel vertige qu'il crut que les oiseaux volaient le ventre en l'air, ce qui ne l'étonna pas trop puisque lui-même ne savait plus distinguer le haut du bas.

« Et si nous avions quitté la terre ? se dit-il. Si nous étions en train de gagner le ciel ? »

Autour de lui tout n'était qu'oiseaux et nuages et, commençant à croire en son hypothèse, il se réjouit de monter ainsi au ciel et se demanda ce qu'il allait y découvrir. D'un coup le vertige l'abandonna, tant était grand son bonheur de quitter la terre et de gagner les cieux.

Soudain, il entendit des coups de feu et vit s'élever quelques colonnes de fumée blanche.

L'effroi et la terreur parcoururent les rangs des oiseaux.

« Des chasseurs ! Il y a des chasseurs dans les bateaux ! crièrent-ils. Volez plus haut ! Éloignez-vous ! »

Et le garçon s'aperçut alors qu'ils ne montaient pas vers le ciel mais survolaient encore la mer, une mer sur laquelle de nombreux petits bateaux étaient alignés, et remplis de chasseurs qui leur tiraient dessus. Les premiers vols d'oiseaux ne les avaient pas vus à temps et déjà plusieurs corps sombres tombaient vers la mer, accompagnés dans leur chute par les plaintes des survivants.

Akka s'éleva aussi vite que possible et la bande la suivit à tire-d'aile. Les oies sauvages réussirent ainsi à s'en sortir indemnes mais le garçon restait ébahi. Comment pouvait-on avoir envie de tirer sur des gens comme Akka, comme Yksi et Kaksi, comme le jars et les autres ? Les humains étaient donc inconscients !

Puis le vol se poursuivit dans un air calme et les oiseaux refirent silence.

Ils n'étaient pas encore en vue d'Öland quand un vent faible arriva sur eux. Il amenait avec lui de grosses quantités d'une fumée blanche. Comme s'il y avait eu un incendie quelque part.

Lorsque les oiseaux virent les premières volutes blanches, ils accélérèrent, inquiets. Mais ce qui ressemblait à de la fumée se gonfla en bouffées de plus en plus lourdes, et pour finir les enveloppa complètement. On ne sentait aucune odeur, et cette fumée n'était ni sombre ni sèche, mais blanche et humide. Et le garçon comprit brusquement qu'il s'agissait du brouillard.

Lorsque le brouillard fut si dense qu'on ne voyait pas à une longueur d'oie devant soi, les oiseaux commencèrent à se comporter comme de véritables fous. Tous ceux qui un moment plus tôt volaient dans l'ordre le plus parfait se mirent à virevolter dans le

115

brouillard, essayant de se fourvoyer les uns, les autres.

Les oiseaux habitués à voyager dans la région ne couraient aucun danger, mais les oies sauvages avaient un mal fou. Beaucoup, se rendant compte qu'elles hésitaient sur la route à suivre, faisaient tout pour les égarer.

« Où allez-vous, braves gens ? cria un cygne à l'air compatissant et sérieux qui arriva droit sur Akka.

— Nous volons vers Öland mais nous n'y sommes jamais allées auparavant, dit Akka qui trouvait l'oiseau digne de confiance.

— Voilà qui est fâcheux, dit le cygne. On vous a égarées. Vous volez droit sur le Blekinge. Suivez-moi, je vais vous remettre dans le bon chemin ! »

Et il prit leur tête mais, lorsqu'il les eut menées si loin de la grande voie de migration qu'elles n'entendaient plus un seul cri, il disparut dans le brouillard.

Un moment, elles volèrent au hasard. À peine eurent-elles retrouvé les oiseaux qu'un canard les interpella :

« Vous feriez mieux de descendre sur l'eau jusqu'à ce que le brouillard se dissipe. On voit que vous ne savez pas vous débrouiller en voyage. »

Tous ces mauvais plaisants finissaient par étourdir Akka. Et le garçon crut se rendre compte que les oies volaient en rond.

Personne ne saurait dire quand elles seraient arrivées si, dans le lointain, on n'avait soudain entendu la détonation d'un canon.

Alors Akka tendit le cou, fit claquer fort ses ailes et se lança à toute vitesse. Désormais elle savait sur quoi se guider. L'oie grise lui avait dit tantôt de ne surtout pas descendre sur la pointe sud d'Öland parce que les hommes y avaient installé un canon pour tirer dans le brouillard. Elle connaissait la direction maintenant, et personne au monde ne réussirait à la perdre.

La pointe sud d'Öland

Du 3 au 6 avril.

Sur la pointe la plus méridionale d'Öland est bâti un vieux manoir royal nommé Ottenby. C'est un domaine assez vaste et nulle part ailleurs dans le pays on ne doit trouver meilleur endroit pour les animaux. Le vieux pré aux moutons, le plus grand pré d'Öland, s'étend sur deux kilomètres et demi de côte et les animaux peuvent y paître, y jouer et s'ébattre aussi librement que dans les contrées inhabitées.

Tout porte à croire que les animaux sauvages sentent qu'eux aussi seront à l'abri dans ce vieux domaine et c'est la raison pour laquelle ils osent s'y rendre en grand nombre.

Quand les oies sauvages et Nils Holgersson eurent

enfin retrouvé Öland, ils descendirent comme tous les autres sur la plage marécageuse. L'épais brouillard qu'ils avaient rencontré en mer couvrait aussi l'île. Mais le garçon fut sidéré par le nombre d'oiseaux qu'il vit, ne fût-ce que tout près d'eux.

C'était une plage de sable fin, parsemée de cailloux, de flaques d'eau et de varech[1] rejeté par la mer. Si on avait donné le choix au garçon, il ne serait sans doute jamais descendu là, mais manifestement les oiseaux s'y trouvaient comme au paradis. Des canards et des oies grises pâturaient dans les prés, des chevaliers et d'autres oiseaux appréciant l'endroit sautillaient sur la grève, des plongeons[2] pêchaient en mer.

Le lendemain matin, le brouillard était toujours aussi dense. Les oies sauvages paissaient dans le pré, mais le garçon était descendu sur la plage pour ramasser des moules. Elles abondaient et il se disait que le lendemain il serait peut-être quelque part où il ne trouverait rien à manger. Il décida donc de confectionner un petit sac qu'il remplirait de moules. Ayant découvert dans le pré une vieille laîche[3] résistante et tenace, il entreprit de tresser un sac. Plusieurs heures durant il travailla à cet ouvrage mais pour en être très satisfait lorsqu'il l'eut terminé.

---

1. Algue.
2. Oiseaux qui vivent près de la mer.
3. Plante sauvage qui pousse dans les champs.

Vers midi, toutes les oies sauvages arrivèrent en courant et lui demandèrent s'il avait vu le jars blanc.

« Non, il n'était pas avec moi, répondit le garçon.

— Il broutait encore avec nous il y a un petit moment », dit Akka, mais impossible de le retrouver maintenant.

D'un coup, terriblement angoissé, le garçon fut sur pied. Il demanda si un renard ou un aigle avaient été aperçus, ou si on avait vu un humain dans les parages. Mais personne n'avait remarqué de danger. Le jars s'était sans doute simplement perdu dans le brouillard.

Mais qu'il fût perdu d'une manière ou d'une autre ne changeait rien au malheur du garçon qui se lança immédiatement à sa recherche. Il pouvait courir n'importe où sans être vu puisque le brouillard le protégeait mais, d'un autre côté, le brouillard l'empêchait de voir. Il courut vers le sud, le long de la côte jusqu'au phare et au canon de brume monté sur le promontoire extrême. Partout il rencontra le même foisonnement[1] d'oiseaux, mais pas de jars. Il osa s'aventurer jusqu'au manoir d'Ottenby et y examina chacun des vieux chênes creux de la forêt, mais pas trace du jars.

Il chercha jusqu'à la tombée de la nuit qui l'obligea à revenir vers la plage de l'est. Il marchait à pas lourds, complètement découragé. Qu'allait-il advenir

---

1. Foule, abondance.

de lui s'il ne trouvait pas le jars ? Personne d'autre ne lui était plus indispensable.

Mais, au moment où il traversait le pré des moutons, il distingua dans le brouillard une grosse forme blanche qui s'avançait vers lui, et qu'était-ce sinon le jars ? Ce dernier, sain et sauf, était ravi d'avoir enfin retrouvé la bande. Il leur expliqua que le brouillard lui avait si fortement perturbé les esprits que toute la journée il avait tourné en rond dans le grand pré. Fou de joie, le garçon se jeta à son cou et lui demanda de faire attention à ne pas s'éloigner des autres. Et le jars promit que jamais plus il ne le ferait. Non, jamais plus.

Le lendemain matin pourtant, alors que le garçon cherchait des moules sur la plage, les oies arrivèrent en courant et lui demandèrent s'il avait vu le jars.

Non, pas du tout. Alors, c'était qu'une nouvelle fois il s'était perdu, que comme la veille il s'était égaré dans le brouillard.

Très inquiet, le garçon se lança à sa recherche. Il trouva un endroit où le mur d'Ottenby était suffisamment écroulé pour passer. Puis il marcha le long de la grève qui peu à peu s'élargit et devint assez vaste pour contenir des champs, des prés et des fermes, puis sur le haut plateau du centre de l'île sur lequel ne se dressaient que des moulins à vent et où la couche végétale était si mince que partout la roche calcaire blanche affleurait.

Il ne retrouva cependant pas le jars et, quand le

soir vint, le garçon dut regagner la plage de l'est, persuadé que son compagnon était perdu. Il était si abattu qu'il ne savait que faire.

Il avait déjà repassé le mur lorsqu'il entendit un caillou tomber tout près de lui et, en se retournant, il crut distinguer quelque chose qui bougeait dans un tas de pierres au pied du mur. Il s'approcha alors et vit le jars blanc qui gravissait l'éboulis avec peine, le bec chargé de longues radicelles[1]. Le jars n'avait pas vu le garçon et celui-ci ne l'appela pas, bien disposé à savoir pourquoi il disparaissait ainsi régulièrement.

Et bientôt il découvrit la raison. En haut de l'éboulis gisait une jeune oie grise qui cria de joie lorsque le jars arriva. Le garçon se faufila plus près pour entendre ce qu'ils disaient et, bientôt, il apprit que l'oie grise avait une aile blessée qui l'empêchait de voler, et que sa bande était partie en la laissant seule. Elle avait failli mourir de faim mais, la veille, le jars avait entendu ses cris et l'avait découverte. Depuis, il ne cessait de lui apporter à manger. Tous deux avaient espéré qu'elle serait guérie avant qu'il ne quittât l'île mais elle ne pouvait toujours ni voler ni marcher. Elle était accablée de tristesse mais il la consolait en lui répétant qu'il ne partirait pas avant longtemps. Pour finir, il lui souhaita une bonne nuit et lui promit de revenir le lendemain.

Le garçon laissa le jars s'en aller et, dès que celui-

---

1. Petits filaments attachés à une racine.

ci eut disparu, il monta à son tour sur le tas de pierres. Il était fâché d'avoir été berné[1] et comptait bien dire à cette oie grise que le jars était à lui, qu'il devait l'emmener en Laponie et qu'il était hors de question qu'il restât ici à cause d'elle. Mais quand il vit de près la jeune oie, il comprit pourquoi le jars lui avait apporté à manger pendant deux jours, et aussi pourquoi il n'avait pas voulu révéler qu'il l'aidait. Sa tête était la plus jolie des petites têtes, son plumage doux comme la soie la plus douce et ses yeux tendres n'inspiraient que la pitié.

Dès qu'elle aperçut le garçon, elle essaya de se sauver. Mais son aile gauche, désarticulée, traînait par terre, entravant tous ses mouvements.

« N'aie pas peur de moi, dit le garçon qui n'avait plus du tout l'air fâché qu'il s'était promis d'avoir. Je suis Poucet, le compagnon de voyage de Martin le jars. »

À peine Poucet eut-il dit son nom qu'elle inclina le cou et la tête avec beaucoup de grâce et, d'une voix si belle que le garçon eut du mal à croire que c'était une oie qui parlait, elle dit :

« Je suis très contente que tu sois venu m'aider. Le jars blanc m'a dit qu'il n'existait personne d'aussi sage et d'aussi bon que toi. »

Et elle dit cela avec tant de dignité que Nils en fut tout intimidé. « Elle ne peut pas être un oiseau,

---

1. Trompé.

pensa-t-il. C'est certainement une princesse qui a été ensorcelée. »

Pris d'une irrésistible envie de la secourir, il glissa ses petites mains sous les plumes et tâta le long de l'os de l'aile. L'os n'était pas brisé mais certainement déboîté. Son doigt glissa dans une cavité vide.

« Attention, maintenant ! » dit-il, et sans tarder il saisit l'os et l'ajusta à sa place.

Il accomplit très bien et très prestement cet exercice que jamais auparavant il n'avait pratiqué, mais la douleur dut être très vive car la jeune oie poussa un cri bref et perçant, puis s'affaissa sur les pierres, ne donnant plus signe de vie.

Cette fois-ci le garçon fut saisi d'une épouvantable terreur. Il avait voulu l'aider mais maintenant elle était morte. Il sauta en bas des pierres et s'enfuit en courant. Il ressentait cela comme d'avoir tué un être humain.

Le lendemain matin, le temps était clair et le brouillard dégagé, et Akka annonça qu'ils repre-naient leur voyage. Toutes les autres furent d'accord pour s'en aller, mais le jars blanc s'y opposa. Le gar-çon comprit qu'il ne voulait pas abandonner l'oie grise. Mais Akka ne l'écouta pas et s'envola.

Le garçon grimpa sur le dos du jars et celui-ci sui-vit la bande, bien que lentement et à contrecœur. Le garçon, lui, était très content de quitter l'île. La mau-vaise conscience le poursuivait et il n'avait pas voulu dire au jars ce qui était arrivé à l'oie grise quand il avait essayé de la guérir. Il valait mieux que Martin n'apprît jamais cela, pensait le garçon. Mais, en même temps, il se demandait comment il pouvait avoir le cœur d'abandonner la petite oie.

Mais soudain le jars fit demi-tour. La pensée de la jeune oie était devenue trop forte pour lui. Tant pis pour le voyage en Laponie. Il ne pouvait pas suivre les autres sachant qu'elle gisait seule, malade et mourant de faim.

En quelques coups d'aile, il atteignit le tas de pierres. Mais il n'y avait plus de jeune oie grise sur les pierres.

« Douce-Plume ! Douce-Plume ! Où es-tu ? » appela-t-il.

« Le renard sera sans doute venu la prendre », pensa le garçon. Mais au même moment il entendit une belle voix répondre :

« Je suis là, jars, je suis là ! Je suis simplement allée prendre mon bain matinal. »

Et de l'eau sortit la petite oie grise guérie et en pleine santé, qui raconta que Poucet lui avait remis l'articulation de son aile et qu'elle se sentait parfaitement d'attaque pour les suivre.

Les gouttes d'eau scintillaient comme des perles sur son plumage soyeux et, une nouvelle fois, Poucet se dit qu'elle était une véritable princesse.

9

L'îlot de Karl

La tempête

Vendredi 8 avril.

Après avoir passé la nuit sur la pointe nord d'Öland, les oies sauvages se dirigeaient vers le continent, à bonne vitesse. Mais lorsqu'elles approchèrent des premiers récifs, elles entendirent un vacarme étourdissant, et, d'un coup, l'eau au-dessous d'elles devint noire. Akka cessa si rapidement de battre des ailes qu'elle en resta presque immobile, puis elle descendit pour se poser sur l'eau. Mais avant que les oies eussent rejoint la mer, la tempête venue de l'ouest les surprit. Déjà elle chassait devant elle des nuages de poussière, une écume salée et de petits oiseaux emportés. D'un coup, elle balaya aussi les oies sauvages, les bascula et les repoussa vers le large.

La tempête fut épouvantable. Plus d'une fois les oies essayèrent de reprendre leur route mais elles en furent incapables et dérivèrent vers la Baltique. La tempête les avait déjà fait passer Öland, et une mer vide et déserte les attendait. Il ne leur restait plus qu'à essayer de voler au-devant des bourrasques.

Akka n'avait pas l'intention de se faire pousser ainsi sur toute l'étendue de la Baltique et, lorsqu'elle comprit qu'elles seraient incapables de faire demi-tour, elle essaya une nouvelle fois de se poser sur l'eau. La houle, déjà forte, ne faisait qu'augmenter. Les vagues roulaient, vertes, plus hautes l'une que l'autre, comme si elles avaient voulu se mesurer pour voir laquelle se dresserait le plus haut et jetterait le plus d'écume. Mais les oies sauvages ne craignaient pas l'agitation des vagues, au contraire, elles semblaient s'en amuser, lorsque, soudain, Akka vit une forme ronde et sombre s'élever au-dessus de la crête d'une vague.

« Des phoques ! Des phoques ! Des phoques ! » cria-t-elle d'une voix forte et perçante et, d'un coup, elle s'envola en faisant claquer ses ailes.

Il était temps. Quand la dernière oie quitta l'eau, les phoques étaient si près qu'ils frôlèrent ses pieds du museau.

Et les oies se retrouvèrent ainsi dans la tempête qui les chassait vers le large. Une tempête qui ne s'accordait aucun répit, et n'en accordait aucun aux oies sauvages. Nulle part elles n'apercevaient la terre, partout c'était une mer déserte.

Elles redescendirent sur l'eau dès qu'elles l'osèrent. Mais, balancées un moment sur l'eau, elles s'endormirent, et à nouveau les phoques arrivèrent. Sans l'extrême vigilance d'Akka, pas une seule d'entre elles n'en aurait réchappé.

Toute la journée la tempête fit rage et causa d'irréparables dommages aux nombreux vols d'oiseaux qui, à cette époque de l'année, entreprenaient leur migration. Certains furent emportés vers des terres étrangères où ils périrent de faim, d'autres, épuisés, tombèrent dans la mer et s'y noyèrent. Beaucoup furent écrasés contre des falaises ou finirent proies des phoques.

Toute la journée la tempête se déchaîna, et Akka commençait à se demander si elle-même et toute sa bande n'allaient pas périr. Totalement épuisées, les oies ne voyaient aucun endroit où se reposer. Vers le soir, Akka n'osa même plus se poser sur la mer car celle-ci était encombrée de grandes plaques de glace qui s'entrechoquaient et les auraient écrasées. Plusieurs fois les oies sauvages essayèrent de descendre sur les plaques de glace. Mais une fois le vent les rejeta à la mer et une autre fois les phoques impitoyables se hissèrent sur la plaque.

Au coucher du soleil, les oies étaient encore en l'air. C'était horrible cette absence de terre !

Qu'adviendrait-il d'elles si elles devaient rester en mer toute la nuit ? Le ciel était couvert de nuages, la lune restait cachée et la nuit tombait vite. En bas, sur la mer, les plaques s'entrechoquaient dans le plus grand fracas. Les phoques alors entonnèrent leurs lugubres chants de chasse. Et ce fut comme si le ciel et la terre avaient été en train de s'effondrer.

Les moutons

Depuis un moment, Nils regardait la mer. Soudain, il lui sembla qu'elle bruissait plus fort. Il leva les yeux. Et, tout à coup, il vit s'ouvrir l'entrée semi-circulaire d'une grotte vers laquelle les oies se dirigeaient. L'instant d'après, elles étaient en sûreté.

Les oies sauvages, se rendant compte qu'il ne manquait que Kaksi, ne s'inquiétèrent pas outre mesure. Kaksi avait l'âge et l'expérience, elle connaissait tous leurs chemins et toutes leurs habitudes, elle saurait certainement les retrouver.

Puis les oies entreprirent l'examen de la grotte. Les dernières lueurs du jour leur permirent de voir qu'elle était large et profonde, et elles se réjouissaient d'avoir découvert un si bon gîte lorsque l'une d'elles aperçut quelques lueurs verdâtres qui brillaient dans un coin sombre.

« Mais ce sont des yeux ! cria Akka. Il y a de gros animaux ici. »

Et elles se précipitèrent vers la sortie. Mais Poucet qui voyait mieux qu'elles dans le noir leur cria :

« Ne vous enfuyez pas ! C'est seulement quelques moutons couchés le long de la paroi. »

Un gros bélier doté de cornes recourbées semblait le chef du troupeau. Les oies s'approchèrent de lui avec force courbettes.

« Nous vous saluons, hôtes de ce pays sauvage ! dit Akka. Vous n'appréciez peut-être pas notre irruption chez vous. Mais nous n'y sommes pour rien. Le vent et la tempête nous ont entraînées toute la journée et nous aimerions pouvoir nous reposer ici cette nuit.

— Je ne peux vous laisser dormir ici sans vous avertir que vous n'y serez pas en sûreté, dit-il. Désormais, nous ne pouvons plus accueillir d'hôtes pour la nuit. »

Akka comprenait que l'affaire était sérieuse.

« Nous allons partir, puisque vous le désirez, dit-elle. Mais ne pourriez-vous pas d'abord nous dire ce qui vous tourmente ? Nous ne savons rien. Nous ne savons même pas où nous sommes.

— Vous êtes sur l'îlot de Karl, dit le bélier. Il est situé au large de Gotland et seuls des moutons et des oiseaux de mer vivent ici. Les hommes nous approvisionnent en fourrage s'il neige en hiver et en contrepartie ils peuvent emporter certains d'entre nous quand nous sommes trop nombreux. L'îlot est petit et ne peut nourrir trop de bêtes. Mais en dehors de ça, nous nous débrouillons seuls toute l'année et nous demeurons dans des grottes de ce genre.

— Vous passez l'hiver dehors aussi ? demanda Akka, étonnée.

— Oui, répondit le bélier. Toute l'année nous disposons de riches pâturages ici sur la montagne.

— Vous semblez mieux lotis que la plupart des moutons, dit Akka. Mais quel malheur s'est donc abattu sur vous ?

— L'hiver dernier, le froid a été très intense. La mer a gelé et trois renards sont venus jusqu'ici en passant sur la glace, et ils sont restés depuis. Ils profitent de la nuit pour nous attaquer quand nous dormons dans les grottes. Nous essayons de veiller, mais il faut bien dormir aussi, et ils en profitent pour sauter sur nous. Ils ont déjà tué tous les moutons dans les autres grottes, et il y avait là-bas des troupeaux aussi grands que le mien.

— Pensez-vous qu'ils viendront cette nuit ? demanda Akka.

— Nous ne pouvons guère nous attendre à autre chose, dit une vieille brebis. Ils ont surgi hier dans la nuit et nous ont volé un agneau. Ils reviendront certainement tant que l'un d'entre nous restera en vie. C'est comme ça qu'ils ont agi pour les autres troupeaux.

— Mais si on les laisse, vous allez être exterminés ! s'exclama Akka.

« — Eh oui, la fin des moutons de l'îlot de Karl est proche », dit la brebis.

Akka restait perplexe. Retourner dans la tempête n'avait rien de réjouissant, mais rester dans un gîte où l'on attendait de tels visiteurs non plus. Après avoir réfléchi un moment, elle se tourna vers Poucet.

« Accepterais-tu de nous aider comme tu l'as fait tant de fois auparavant ? dit-elle.

— Oui, répondit le garçon. Je pourrais peut-être.

— Je suis désolée de t'empêcher de dormir, dit l'oie sauvage, mais je voudrais que tu veilles jusqu'à l'arrivée des renards, pour que tu nous réveilles et que nous puissions nous envoler. »

Le garçon apprécia modérément l'arrangement mais tout valait mieux qu'un retour dans la tempête, il promit donc de rester éveillé.

Il marcha jusqu'à l'entrée de la grotte, se glissa derrière une pierre pour s'abriter du vent et commença le guet.

Il était là depuis un moment quand la tempête parut se calmer. Le ciel s'éclaircit et la lune se mit à danser sur les vagues. Le garçon s'avança pour regarder dehors. La grotte était haute sur le flanc de la colline. Un sentier étroit et escarpé y menait. C'était par là sans doute qu'il verrait venir les renards.

Soudain il entendit le crissement d'une griffe sur la pierre. Il découvrit les trois renards qui montaient le raidillon[1]. Il se dit alors qu'il serait dommage de ne réveiller que les oies pour laisser les moutons à leur sort. Il avait envie d'arranger les choses différemment.

Il se précipita à l'intérieur de la grotte, secoua le grand bélier par les cornes pour le réveiller, et se hissa en même temps sur son dos.

« Levez-vous, père ! dit le garçon. Nous allons flanquer la frousse aux renards ! »

Il avait essayé d'être aussi silencieux que possible mais les renards durent entendre du bruit car, arrivés à l'entrée de la grotte, ils s'arrêtèrent pour discuter.

« Je crois bien que quelqu'un a bougé, là-dedans, dit l'un. Je me demande s'ils sont réveillés.

— Bah, vas-y, entre, dit un autre. De toute façon ils ne peuvent rien contre nous. »

Ils s'avancèrent un peu plus à l'intérieur de la grotte, puis s'arrêtèrent pour humer.

« Qui allons-nous prendre ce soir ? chuchota celui qui marchait en tête.

— Ce soir, ramassons le gros bélier, dit le dernier. Ensuite tout sera facile. »

Assis sur le dos du gros bélier, le garçon les voyait avancer.

« Donnez un coup de tête droit devant vous, maintenant ! » chuchota le garçon.

---

1. Pente très raide.

Le gros bélier balança un coup de tête et le renard fut projeté et culbuté jusqu'à l'ouverture de la grotte.

« Maintenant un coup de tête à gauche ! » dit le garçon en dirigeant la grosse tête du bélier dans le bon sens.

Le bélier donna un coup terrible qui atteignit le deuxième renard en plein dans les côtes et le fit rouler plusieurs fois sur lui-même avant qu'il se relevât sur ses pattes pour s'enfuir. Le garçon aurait bien voulu que le troisième reçût aussi son compte, mais il était déjà parti.

« Je crois qu'ils en ont eu assez pour cette nuit, dit le garçon.

— C'est aussi mon impression, dit le gros bélier. Maintenant étends-toi sur mon dos et glisse-toi dans la laine ! Tu mérites de dormir confortablement et au chaud après la tempête que tu as subie. »

Le trou de l'Enfer

Samedi 9 avril.

Le lendemain, le gros bélier chargea le garçon sur son dos et lui fit visiter l'île. Elle était constituée d'un seul rocher énorme, comme une grande maison aux murs verticaux et au toit plat. Le bélier parcourut le toit et montra au garçon les bons pâturages dont il était couvert.

« Voici vraiment une terre promise, dit le garçon. Vous autres, les moutons, habitez un bien bel endroit.

— C'est vrai, c'est très joli, ici, dit le bélier. Mais si tu te promènes ici tout seul, prends garde à toutes les crevasses qui trouent la montagne. »

Et le conseil était judicieux car partout s'ouvraient de profondes fissures. La plus grande s'appelait le trou de l'Enfer. Cette crevasse était profonde de plusieurs toises et large d'une environ.

« Si quelqu'un tombait là-dedans, il y mourrait », dit le gros bélier.

Puis il conduisit le garçon au bord de l'eau. La grève[1] était belle, mais le garçon préférait le haut de la falaise. En bas c'était partout le spectacle horrible de moutons morts car les renards avaient tenu là leurs festins. Il y avait des squelettes entièrement rongés mais aussi des corps à demi dévorés et d'autres encore à peine entamés. De toute évidence les féroces animaux ne s'étaient attaqués aux moutons que pour le plaisir de chasser et de tuer.

Le gros bélier ne s'arrêta pas devant les cadavres, il les dépassa paisiblement, mais le garçon ne put éviter de contempler l'horrible carnage.

---

1. Plage.

Revenu en haut, le bélier s'arrêta et dit :

« Si quelqu'un d'intelligent et de courageux découvrait le malheur qui règne ici, il n'aurait de cesse que d'infliger aux renards leur punition. »

Ils n'en discutèrent plus, et le garçon alla retrouver les oies sauvages qui paissaient sur le plateau. Il ne l'avait pas révélé au bélier, mais il était extrêmement triste pour les moutons et il aurait aimé pouvoir les aider. « Il faut au moins que j'en parle à Akka et à Martin jars, pensa-t-il. Leurs conseils me seront sans doute précieux. »

Un peu plus tard, le jars blanc chargea le garçon sur son dos et, à pied, traversa le plateau pour s'approcher du trou de l'Enfer. Il marchait avec insouciance. Son manque de prudence était étonnant, surtout compte tenu des coups que lui avait infligés la tempête de la veille. Il boitait de la patte droite et son aile gauche pendait et traînait par terre comme si elle avait été brisée.

Le garçon, allongé sur le dos du jars, regardait le ciel bleu. Il avait maintenant une telle habitude de cette monture qu'il savait aussi bien rester debout qu'allongé sur son dos.

Insouciants comme ils l'étaient, comment le garçon et le jars auraient-ils pu remarquer les trois renards grimpés sur le plateau ? Et les renards, n'ayant pour l'instant aucune autre occupation, finirent par se glisser dans une des longues fissures et se rapprochèrent subrepticement de lui. Ils rampaient si discrètement que le jars ne pouvait pas les soupçonner.

Ils étaient tout proches lorsque le jars essaya de s'envoler. Il ouvrit les ailes mais ne réussit pas à s'élever. Cessant de se cacher, les renards avancèrent sur le plateau, se dissimulant vaguement derrière des touffes et des pierres pour se rapprocher de plus en plus du jars qui paraissait toujours ignorant du danger. Finalement, ils furent si près qu'ils se décidèrent pour l'assaut final. D'un même élan, tous trois bondirent ensemble sur le jars. Le pauvre se mit à courir de toutes ses forces.

Assis à l'envers sur le dos du jars, le garçon criait et se moquait des renards :

« Seriez-vous devenus trop lourds de tous ces moutons que vous avez mangés ? Seriez-vous incapables de rattraper une oie ? »

Ainsi piqués au vif, les renards fous furieux de colère ne pensaient plus qu'à foncer devant eux.

Le jars blanc courut droit sur la grande crevasse et, lorsqu'il y fut, il battit des ailes pour la franchir. Les renards étaient alors pratiquement sur lui.

Le jars continua à la même vitesse lorsqu'il eut franchi le trou de l'Enfer. Mais à peine avait-il parcouru quelques mètres que le garçon lui tapota le cou et dit :

« Tu peux t'arrêter maintenant, Martin. »

Au même moment ils entendirent derrière eux des

cris sauvages, des bruits de chute et de griffes qui crissaient sur la pierre. Mais les renards n'étaient plus en vue.

Le lendemain matin, le gardien du phare de la Grande Île de Karl découvrit un morceau d'écorce glissé sous sa porte et, dessus, gravé en lettres difformes et anguleuses, il y avait écrit : « Les renards de l'Îlot sont tombés dans le trou de l'Enfer. Occupez-vous d'eux ! »

Ce que fit le gardien du phare.

10

Deux villes

La ville au fond de la mer

Samedi 9 avril.

La nuit fut calme et claire. Les oies sauvages ne se
soucièrent pas de s'abriter dans une des grottes mais
dormirent sur le plateau, et le garçon se coucha dans
l'herbe rase et sèche à côté des oies.

Le clair de lune brillait cette nuit-là si fort que Nils
eut du mal à s'endormir. Il était là, allongé sur le dos,
le nez en l'air, quand il vit un spectacle magnifique :
le disque de la lune, entier, parfaitement rond, était
haut dans le ciel et devant lui passait un grand oiseau.
Il était très noir sur ce fond clair et ses ailes s'étendaient d'un bord du disque à l'autre. Son corps était

petit, son cou long et mince, ses jambes pendaient, longues et frêles. Ce ne pouvait être qu'une cigogne.

Quelques instants plus tard, M. Ermenrich, la cigogne, se posa à côté de lui. Il se pencha au-dessus du garçon et le poussa du bec pour le saluer.

Le garçon fut vite debout, et comme de vieux amis, ils parlèrent de choses et d'autres. Pour finir, la cigogne demanda au garçon s'il n'avait pas envie d'aller se promener en l'air par cette nuit splendide.

Bien sûr que le garçon en avait envie, pourvu seulement que la cigogne veillât à être de retour auprès des oies sauvages avant le lever du soleil. Elle le promit, et les voilà partis !

Une nouvelle fois M. Ermenrich se dirigea droit sur la lune. Ils montèrent et montèrent et la mer s'éloignait au-dessous d'eux, mais le vol se faisait avec une telle aisance qu'on aurait dit qu'ils restaient immobiles en l'air.

Le garçon avait l'impression de ne pas avoir volé longtemps quand M. Ermenrich descendit pour atterrir.

Ils se posèrent sur une plage déserte couverte de sable fin.

« Promène-toi un moment sur la plage, dit-il à Nils, pendant que je me repose. Mais ne t'éloigne pas trop. Ne me perds pas ! »

La première intention du garçon fut de grimper sur une dune pour voir à quoi ressemblait le pays de l'autre côté. Mais, lorsqu'il eut fait quelques pas, le bout de son sabot heurta quelque chose de dur. Il se pencha au-dessus du sable et découvrit une petite pièce en cuivre si rongée par le vert-de-gris[1] qu'elle en était presque transparente. Elle était en si mauvais état qu'il ne se soucia pas de la garder et donna un coup de pied dedans.

Mais quand il se releva, quel ne fut pas son étonnement de voir se dresser devant lui, à deux pas, un grand mur sombre avec une porte surmontée de deux tours.

Une seconde auparavant, quand le garçon avait regardé, la mer s'étalait devant lui, lisse et scintillante, mais maintenant elle était cachée par une longue muraille crénelée et hérissée de tours. Juste en face de lui, là où il n'y avait eu que quelques touffes de varech, s'ouvrait la grande porte.

Le garçon comprit bien qu'il s'agissait d'un sortilège, mais il se dit qu'il n'avait aucune raison d'être effrayé. Il ne s'agissait pas de méchants trolls[2] ni de ces êtres maléfiques qu'il craignait tant de rencontrer la nuit. La muraille était aussi splendide que la porte et lui donnait envie d'aller voir derrière.

Sous l'arche de la porte, des gardiens vêtus d'habits bouffants et bariolés, de longues hallebardes[3] posées à côté d'eux, étaient en train de jouer aux dés. De l'autre côté, il découvrit une vaste place

---

1. Couleur verte qui se dépose sur le cuivre lorsqu'il est abîmé par le temps.
2. Lutins.
3. Longues lances.

ouverte, pavée de larges pierres régulières, bordée de grandes et jolies maisons qui laissaient passer entre elles de longues rues étroites.

Sur la place, devant la porte, il y avait foule. Les hommes portaient de longues capes bordées de fourrure par-dessus des vêtements de soie et leurs têtes étaient coiffées de barrettes ornées de plumes, sur leur poitrine pendaient de lourdes chaînes. Les femmes, coiffées de bonnets pointus, étaient vêtues de longues jupes et de corsages aux manches étroites.

Mais ce qui était bien plus remarquable, c'était la ville elle-même. Chaque maison était construite de manière à posséder un pignon[1] côté rue, et ceux-ci étaient tous si richement décorés qu'on aurait dit qu'ils cherchaient à se mesurer pour le plus bel ornement.

Partout il y avait des gens. De vieilles femmes étaient assises sur le pas de leur porte et filaient sans rouet, avec une simple quenouille. Les échoppes[2] des marchands, ouvertes sur la rue, ressemblaient aux étals des marchés. Tous les artisans exerçaient leur art en plein air. Ici on faisait fondre de la graisse de baleine, là on tannait des peaux, là on tendait les cordes sur une longue bande de rue.

Lorsqu'il eut traversé la ville dans toute sa longueur, le garçon arriva à une autre porte ouverte dans

---

1. Côté de la maison.
2. Boutiques.

la muraille, de l'autre côté s'étendaient la mer et le port. Il vit là des vaisseaux d'autrefois. Certains chargeaient leur cargaison, d'autres venaient de lever l'ancre. Des porteurs et des marchands se croisaient dans la hâte. Partout régnait la précipitation la plus affairée.

Mais il estima qu'il n'avait pas le temps de s'arrêter. Il se dépêcha de regagner la ville et arriva cette fois sur la Grand-Place. La cathédrale s'y dressait, et, par la porte ouverte, il aperçut de véritables merveilles : des croix dorées, des autels couverts d'or et des prêtres en habit doré.

Le garçon reprit sa visite, mais plus lentement cette fois, quand l'un des marchands l'aperçut et lui fit signe d'approcher en dépliant sur son étal une magnifique pièce de soie damassée[1], comme pour l'attirer.

Le garçon secoua la tête. « Jamais je ne serai assez riche pour acheter un mètre d'un tissu pareil », pensa-t-il.

Il continua son chemin mais l'un des marchands enjamba son comptoir, courut pour le rattraper et déploya devant lui des tissus d'argent et des tapisseries aux couleurs étincelantes. Le garçon ne put s'empêcher de rire. Ce boutiquier aurait dû comprendre qu'un pauvre miséreux comme lui était bien incapable d'acheter ce genre de choses. Il s'arrêta et

---

1. Dont le tissage contient des dessins mats et brillants.

tendit ses deux mains vides pour leur faire comprendre qu'il ne possédait rien et qu'ils devaient le laisser aller son chemin.

Le marchand sortit alors une petite pièce, usée et abîmée, la plus petite pièce qu'il fût donné de voir, et il la lui montra. Et il était si pressé de vendre qu'il ajouta à son tas deux lourds et imposants gobelets en argent.

Alors le garçon entreprit de fouiller ses poches. Il savait bien qu'il ne possédait pas un sou mais il ne put s'empêcher de vérifier.

Tous les autres marchands essayaient de voir comment le marché allait se terminer et, lorsqu'ils virent le garçon fouiller ses poches, tous enjambèrent leurs comptoirs, les mains chargées de bijoux d'or et d'argent qu'ils lui présentèrent. Et tous lui firent comprendre qu'en échange ils ne désiraient qu'une seule petite pièce. Et à ce moment-là le garçon se souvint de la pièce vert-de-grisée qu'il avait vue tout à l'heure sur la plage.

Il se lança dans la rue au pas de course, et la chance était avec lui car elle le mena droit sur la première porte qu'il avait franchie. Il se précipita dehors et se mit à la recherche de la pièce.

Il la trouva, mais lorsqu'il l'eut ramassée et voulut retourner dans la ville, il ne vit que la mer devant lui. Ni muraille, ni porte, ni garde, ni rue, ni maison n'étaient en vue, rien que la mer.

Malgré lui, le garçon sentit qu'il allait pleurer. La disparition de la ville l'attristait profondément.

Au même moment, M. Ermenrich se réveilla et s'approcha de lui.

« Oh, monsieur Ermenrich ! Quelle était cette ville qui se trouvait ici il y a à peine une minute ?

— Tu as vu une ville ! dit la cigogne. Pour ma part, Poucet, je crois que tu t'es endormi sur la plage et que tu as rêvé tout ceci. Mais je ne te cacherai pas que Bataki le corbeau m'a raconté un jour qu'il existait autrefois sur cette plage une ville qui s'appelait Vineta. La richesse et le bien-être y régnaient plus que dans n'importe quelle autre ville, mais ses habitants, malheureusement, n'étaient qu'orgueil et cupidité. Et la ville reçut son châtiment : Vineta fut balayée par un raz de marée et engloutie par la mer. Mais ses habitants restent immortels, et la ville ne fut pas détruite non plus. Une nuit, tous les cent ans, Vineta remonte dans toute sa splendeur et se retrouve sur terre l'espace d'une heure seulement.

— Oui, la légende doit être vraie, dit Poucet, car je suis sûr de ce que j'ai vu.

— Mais lorsque l'heure s'est écoulée, la mer engloutit à nouveau la ville si entre-temps l'un des marchands de Vineta n'a su vendre quelque chose à un être vivant. Oui, Poucet, si tu avais eu ne fût-ce qu'une petite pièce pour payer les marchands, Vineta aurait pu demeurer sur la plage, et ses habitants auraient pu vivre et mourir comme tout le monde.

— Monsieur Ermenrich, dit le garçon, je sais maintenant pourquoi vous êtes venu me chercher en pleine nuit. C'est parce que vous me pensiez capable de sauver la vieille ville. Je suis désolé que votre souhait n'ait pu être exaucé, monsieur Ermenrich. »

Et Nils enfouit son visage dans ses mains pour pleurer. Et il aurait été difficile de dire qui de M. Ermenrich ou du garçon était le plus triste.

La ville vivante

Lundi 11 avril.

Dans l'après-midi du lundi de Pâques, les oies sauvages avaient choisi de survoler Gotland pour égayer Poucet. Depuis deux jours, contrairement à son habitude, il n'avait pas prononcé un seul mot joyeux, et cela parce qu'il ne cessait de penser à la ville qui s'était présentée à lui de si étrange manière. Jamais il n'avait rien vu d'aussi beau, d'aussi splendide, et il n'arrivait pas à se faire à l'idée qu'il n'avait su la sauver.

Akka, comme Martin jars, avait bien essayé de persuader Poucet qu'il n'avait fait que rêver ou vivre une illusion mais le garçon ne voulait rien savoir.

Tandis que le moral du garçon était au plus bas, la vieille Kaksi, qui entre-temps avait rejoint la bande, fut mise au courant du mal qui affligeait Poucet, et elle s'exclama :

« Si Poucet regrette une vieille ville, nous allons pouvoir le consoler sans peine. Suivez-moi, il ne restera pas triste longtemps ! »

Les oies avaient alors pris congé des moutons et elles se dirigeaient donc en ce moment vers l'endroit que Kaksi voulait montrer à Poucet qui, malgré son chagrin, ne pouvait s'empêcher de regarder, comme d'habitude, le paysage qui défilait sous lui.

Sur Gotland, l'après-midi de ce jour de fête était beau et paisible. La chaleur et cette éclosion du printemps avaient fait sortir les gens dans les rues et les cours et partout on les voyait jouer, tous, enfants comme adultes. Ils jetaient des cailloux sur des cibles, lançaient si haut des balles en l'air qu'elles arrivaient presque jusqu'aux oies sauvages. C'était amusant et ça faisait plaisir de voir des adultes jouer, et le garçon aurait certainement apprécié s'il avait pu oublier son dépit[1] de n'avoir pu sauver la vieille ville.

Longtemps, il n'avait fait que regarder juste au-dessous de lui, et sa stupéfaction fut grande quand il releva les yeux pour regarder devant. Car, sans qu'il l'eût remarqué, les oies sauvages avaient abandonné l'intérieur de l'île pour se rapprocher de la côte ouest, et maintenant la vaste mer bleue s'éta-

---

1. Déception.

lait devant lui. Ce n'était pas elle pourtant qui était remarquable, mais une ville dressée sur la côte.

Durant un moment, il crut se trouver devant une ville aussi belle que celle qu'il avait vue la veille de Pâques. Parvenu plus près, il constata qu'elle était à la fois semblable et différente de la ville du fond de la mer. Comme elle, elle était entourée d'une muraille avec ses tours et ses portes. Mais les tours de cette ville qui avait pu demeurer sur terre étaient dépourvues de toitures, creuses et vides. Les portes n'étaient que des arches sans battants, et les guetteurs et les gardes avaient disparu. La splendeur et l'éclat avaient disparu.

Arrivé plus loin au-dessus de la ville, il constata que la plupart des maisons étaient basses, même si, çà et là, subsistaient quelques hautes maisons à pignons ou des églises anciennes. Les murs étaient entièrement blanchis à la chaux et dépourvus d'ornements, mais le garçon, qui venait de voir la ville engloutie, avait l'impression de comprendre ce qu'avaient pu être les décorations, il en imaginait certaines ornées de statues, d'autres recouvertes de marbre blanc et noir. Les ouvertures des fenêtres béaient sans rien dedans, les sols étaient couverts d'herbe et du lierre grimpait le long des murs. Mais Nils savait comment elles avaient été : remplies de statues et de tableaux, avec un autel décoré surmonté d'une croix dorée, avec des prêtres revêtus d'habits d'or.

Le garçon vit aussi les ruelles, pratiquement vides en cet après-midi de fête. Il savait, lui, qu'une foule superbe avait grouillé ici un jour. Il savait qu'elles avaient été remplies d'ateliers dans lesquels toutes sortes d'artisans s'affairaient.

Et Nils ne voyait pas qu'aujourd'hui encore la ville était superbe. Il ne voyait pas les petites maisons des rues écartées, avec leurs murs noirs à coins blancs et des géraniums rouges derrière leurs fenêtres rutilantes. Il ne voyait pas les nombreux jardins, les allées superbes, ni la beauté des ruines couvertes de végétation grimpante. Ses yeux étaient si pleins des merveilles du passé qu'il ne pouvait rien voir de beau dans le présent.

Plusieurs fois les oies sauvages survolèrent la ville pour la montrer à Poucet. Puis elles descendirent se poser sur l'herbe qui envahissait la nef[1] d'une église en ruine et décidèrent d'y passer la nuit.

Comme toujours, elles s'endormirent vite, mais Poucet resta éveillé et regarda le ciel rouge clair qui s'étendait derrière les voûtes écroulées. Et, au bout d'un moment, il se dit qu'il ne devait plus regretter de n'avoir pu sauver la ville engloutie.

Non, il ne le voulait plus depuis qu'il avait vu celle-ci. Si la ville qu'il avait vue n'avait pas été engloutie au fond de la mer, elle serait probablement tombée en ruine comme celle-ci. Elle n'aurait peut-être pas

---

1. Allée centrale.

pu résister au temps et à la destruction, et se serait vite retrouvée avec des églises sans toiture, des maisons sans décorations et des rues vides et désertes comme ici. Il valait mieux qu'elle restât splendide dans son secret. « Les choses sont mieux ainsi, pensa-t-il. Si j'avais le pouvoir de sauver la ville, je crois que je ne l'utiliserais pas. » Et, dès lors, il cessa de regretter.

11

Les corneilles

Le pot de terre

Mardi 12 avril.

Après un bon vol au-dessus de la mer, les oies sauvages s'étaient posées dans le Småland. Dans sa partie sud-ouest se trouve un canton nommé Sunnerbo.
À la frontière du canton avec la province du Halland
s'étend une lande de sable si vaste que d'un bout on
n'en distingue pas l'autre. Rien ne pousse ici hormis
la bruyère et il serait difficile d'y acclimater[1] d'autres
plantes. Le seul endroit de la lande où la bruyère ne
règne pas en maître est une longue colline basse et
pierreuse qui la traverse. Là poussent aussi des géné-

---

1. Faire en sorte que les plantes poussent facilement.

vriers, des sorbiers et quelques grands et beaux bouleaux. À l'époque du voyage de Nils Holgersson avec les oies sauvages se trouvait aussi là une maisonnette entourée d'un petit lopin de terre défrichée, mais les gens qui y avaient vécu l'avaient un jour abandonnée pour quelque raison. La petite maison restait vide, et le champ inculte.

Quand les gens avaient quitté la maison, ils avaient bouché la cheminée, bloqué la fenêtre et verrouillé la porte. Mais ils avaient oublié qu'un carreau était brisé et simplement bouché avec un chiffon. Les averses de l'été avaient fait pourrir ce chiffon qui progressivement était tombé en lambeaux et, finalement, une corneille avait réussi à l'enlever.

Car la colline sur la lande de bruyère n'était pas aussi déserte qu'on aurait pu le croire, une importante colonie de corneilles y avait établi ses quartiers.

La corneille qui avait enlevé le chiffon de la fenêtre était un mâle nommé Garm-Plume-Blanche mais qu'on n'appelait jamais autrement que Gauche ou le Manchot ou carrément Gauche-le-Manchot parce qu'il se comportait toujours maladroitement ou sottement et n'était bon qu'à recevoir des moqueries. Gauche-le-Manchot était plus grand et plus fort que toutes les autres corneilles mais cela ne lui servait à rien, il était et restait un objet de dérision. Qu'il fût d'une noble lignée ne lui servait à rien non plus. Si tout s'était déroulé normalement, il aurait même dû être le chef de la bande puisque cet honneur était revenu depuis des temps immémoriaux au plus âgé des Plumes-Blanches.

Ceux de la famille des Plumes-Blanches avaient été sévères et modérés et, tant qu'ils avaient dirigé la bande, ils avaient obligé ses membres à se comporter de manière à ne subir aucun reproche des autres oiseaux. Mais les corneilles étaient nombreuses et vivaient misérablement. À la longue, elles n'avaient plus supporté la rigueur de leur existence et s'étaient révoltées contre les Plumes-Blanches pour donner le pouvoir à la Rafale, le plus horrible brigand pilleur de nids qu'on pût imaginer, du moins si l'on excluait sa femme, la Bourrasque, encore pire que lui. Sous son règne, les corneilles menaient une vie telle qu'on les craignait dorénavant plus que les éperviers et les grands-ducs.

La bande ne demandait évidemment pas son avis à Gauche-le-Manchot. Tous s'accordaient pour dire qu'il ne tenait en rien de ses ancêtres et ne pourrait être choisi comme chef.

Aucune des corneilles ne savait que c'était Gauche-le-Manchot qui avait retiré le chiffon de la fenêtre et elles auraient certainement été très étonnées de l'apprendre. Jamais elles ne l'auraient supposé assez audacieux pour approcher d'une demeure humaine. Lui-même gardait soigneusement la chose secrète et savait pourquoi. La Rafale et la Bourrasque le traitaient toujours bien durant la journée, quand les autres étaient présents, mais, par une nuit très sombre, alors que les camarades s'étaient déjà installés sur leur branche pour dormir, il avait été attaqué par deux corneilles et avait manqué y laisser la vie. Depuis, il quittait chaque soir sa place habituelle et gagnait l'abri de la maison vide.

Or, un après-midi, quand les corneilles avaient déjà installé leurs nids sur la colline aux Corneilles, il leur advint de faire une découverte étrange. La Rafale, Gauche-le-Manchot et quelques autres étaient descendus dans un grand trou quelque part sur la lande. Celui-ci ne semblait être qu'une carrière de gravier mais les corneilles ne se satisfaisaient pas d'une explication aussi simple et sans cesse elles fouillaient pour découvrir à quelle fin les hommes avaient pu creuser ce trou. Soudain, tandis qu'elles procédaient ainsi, un pan de cailloux s'effondra sur le côté. Elles s'y précipitèrent et furent ravies de découvrir, parmi les cailloux et les touffes éboulées, un assez gros pot de terre, fermé par un couvercle de bois. Impatientes de savoir ce qu'il contenait, elles essayèrent de briser le pot avec leur bec et de faire sauter le couvercle, mais en vain.

Elles étaient là perplexes et désemparées quand elles entendirent quelqu'un les interpeller :

« Que diriez-vous d'un coup de main, corneilles ? »

Elles levèrent vivement les yeux. Au bord du trou, un renard les regardait, un des plus beaux renards, autant de pelage que de constitution, qu'elles eussent jamais vu. Son seul défaut était d'avoir perdu une oreille.

« Si tu as envie de nous rendre service, dit la Rafale, ce n'est pas de refus. »

Et, disant cela, lui et les autres s'envolèrent hors du trou pour laisser la place au renard. Une fois au fond, ce dernier mordit le pot et tira le couvercle, mais en vain lui aussi.

« As-tu une idée de ce qu'il peut contenir ? » demanda la Rafale.

Le renard fit rouler le pot et écouta attentivement.

« Il ne peut s'agir que de pièces d'argent », dit-il.

C'était plus que ce que les corneilles avaient espéré.

« Tu crois vraiment qu'il s'agit de pièces ? s'exclamèrent-elles, et leurs yeux avides étaient près de sortir de leurs orbites car, si étrange que cela paraisse, il n'existe rien au monde que les corneilles désirent plus que les pièces d'argent.

— Écoutez-les tinter ! dit le renard en faisant rouler le pot une nouvelle fois. Le seul problème c'est que je ne sais comment les faire sortir.

— Oui, nous n'y arriverons pas », conclurent les corneilles.

Le renard se frottait la tête de la patte gauche et réfléchissait. Peut-être avait-il là une occasion, en demandant leur aide aux corneilles, de s'emparer de ce fichu gamin qui lui échappait perpétuellement.

« Je sais qui pourrait ouvrir ce pot », dit le renard.

Puis le renard leur parla de Poucet et leur dit que, si elles réussissaient à l'amener dans la lande, il saurait certainement leur ouvrir le pot. Mais ce conseil, il ne le leur donna pas avant qu'elles eussent promis de lui livrer Poucet une fois les pièces d'argent en leur possession. Les corneilles n'avaient aucune raison d'épargner Poucet, elles furent immédiatement d'accord.

Ce genre de décision était facile à prendre, restait à savoir où se trouvaient Poucet et les oies sauvages.

La Rafale en personne s'envola en compagnie de cinquante corneilles et dit qu'il serait bientôt de retour. Mais des jours passèrent sans que les corneilles de la colline le vissent revenir.

Kidnappé par les corneilles

Mercredi 13 avril.

Les oies sauvages se réveillèrent dès les premières lueurs de l'aube pour picorer un peu avant d'entamer le vol vers l'Östergötland. L'îlot de la baie des Oies sur lequel elles avaient dormi était petit et dénudé mais les eaux qui l'entouraient étaient riches de plantes nourrissantes. Le garçon, par contre, ne trouva absolument rien à manger.

Alors qu'il restait là, affamé et transi par le froid matinal, et cherchait autour de lui, il remarqua des écureuils qui jouaient sur un promontoire[1] couvert d'arbres juste en face de l'îlot. Pensant que les écureuils disposaient encore d'un peu de leur réserve hivernale, il demanda au jars de l'emmener sur le promontoire où il pourrait mendier quelques noisettes.

À la nage, le grand blanc traversa immédiatement le détroit avec lui mais, par malheur, les écureuils étaient si occupés par leurs bonds d'arbre en arbre qu'ils n'entendirent pas le garçon et, au contraire, s'enfoncèrent de plus en plus parmi les arbres. Sans tarder, il les suivit et fut bientôt hors de vue du jars resté sur la berge.

Le garçon se faufilait entre quelques plants d'anémones des bois si hauts qu'ils lui atteignaient le menton, lorsqu'il sentit que quelqu'un l'attrapait par-derrière et essayait de le soulever. Il se retourna pour voir qu'une corneille l'avait saisi par le col de sa chemise. Il essaya de se dégager mais une seconde corneille qui arrivait pinça sa chaussette et le fit culbuter.

Si Nils Holgersson avait immédiatement appelé au secours, le jars blanc aurait certainement pu le sauver, mais le garçon s'estimait sans doute capable de se défendre seul contre deux corneilles. Il battit des mains et des pieds mais les corneilles ne lâchèrent pas prise et réussirent à s'élever dans les airs avec lui, et

---

1. Bande de terre qui s'avance dans la mer.

cela en faisant si peu attention que sa tête heurta une branche. Il sentit un violent coup contre son crâne, sa vue se brouilla et il perdit connaissance.

Quand à nouveau il ouvrit les yeux, il était loin au-dessus de la terre. Au début il n'aurait su dire où il se trouvait ni ce qu'il voyait mais lentement il reprit ses esprits. Des questions se bousculaient dans sa tête. Pourquoi n'était-il pas assis sur le dos du jars blanc ? Pourquoi était-il entouré d'un vaste vol de corneilles ? Et pourquoi était-il ballotté dans tous les sens comme un pantin désarticulé ?

Puis tout devint clair. Il avait été enlevé par deux corneilles. Le jars blanc était toujours au bord de l'eau et l'attendait, et les oies sauvages s'envolaient aujourd'hui pour l'Östergötland tandis qu'on l'emportait vers le sud-ouest – ce qu'il pouvait comprendre en voyant le soleil derrière lui. Et ce grand tapis de forêts étendu au-dessous de lui devait être le Småland.

« Comment le jars blanc réussira-t-il à s'en sortir, maintenant que je ne suis plus là pour l'aider ? » songea le garçon qui n'était pas le moins du monde inquiet pour lui-même, persuadé que les corneilles l'emportaient pour s'amuser.

Les corneilles ignorèrent ses cris et continuèrent leur vol à vive allure. Un moment plus tard, elles déposèrent le garçon au pied d'un sapin touffu qui le dissimulait si bien que même un faucon n'aurait pu l'apercevoir.

Cinquante corneilles, le bec tendu, s'assemblèrent autour du garçon pour le surveiller.

« Allez-vous enfin me dire, corneilles, ce que signifie cet enlèvement ? » demanda-t-il.

Mais il put à peine finir sa phrase qu'une grosse corneille lui siffla :

« Tais-toi ! Sinon je te crève les yeux. »

De toute évidence la corneille était sérieuse, et le garçon ne put qu'obéir. Et il resta là à les dévisager tandis qu'elles-mêmes le dévisageaient. Il comprit qu'elles n'avaient rien à voir avec les oies sauvages. Elles avaient l'air cruel, cupide, méfiant et effronté des bandits et des vagabonds. « Me voilà aux mains d'une véritable bande de brigands », pensa-t-il.

Au même moment il entendit au-dessus de sa tête l'appel des oies sauvages :

« Où es-tu ? Je suis là. Où es-tu ? Je suis là. »

Et il comprit qu'elles étaient lancées à sa recherche, mais avant qu'il ait eu le temps de leur répondre, la grosse corneille qui semblait mener la bande siffla dans son oreille :

« Pense à tes yeux ! »

Et il ne put que se taire.

Un moment plus tard, les corneilles firent mine de repartir et, comme elles semblaient vouloir à nouveau le porter l'une par le col de sa chemise et l'autre par sa chaussette, le garçon leur dit :

« N'y en a-t-il donc pas une parmi vous, corneilles, qui soit assez forte pour me porter sur son dos ?

159

Vous m'avez déjà tellement malmené que je me sens comme brisé. Laissez-moi monter sur votre dos ! Je ne me jetterai pas d'en haut, je vous le promets.

— Ne t'imagine pas que nous nous préoccupons de ton bien-être », dit le chef.

Mais, à ce moment, la plus grosse corneille, une tout ébouriffée et maladroite, avec une plume blanche dans l'aile, s'avança et déclara :

« Il vaudrait peut-être mieux pour nous toutes, la Rafale, que ce Poucet arrive entier plutôt qu'en deux morceaux, laisse-moi essayer de le porter sur mon dos.

— Si tu en as la force, Gauche-le-Manchot, je n'y vois pas d'inconvénient, répondit la Rafale. Mais ne le perds pas ! »

C'était déjà ça de gagné, et à nouveau le garçon se sentit presque heureux.

Les corneilles reprirent leur vol au-dessus du Småland en direction du sud-ouest. Vers midi, elles se posèrent dans un pré clôturé et s'appliquèrent à trouver de quoi manger, mais pas une d'entre elles ne pensa à proposer quelque chose au garçon. Gauche-le-Manchot, pourtant, s'approcha du chef avec une branche d'églantier sur laquelle étaient accrochées quelques baies rouges.

« C'est pour toi, la Rafale. Voilà un repas qui te plaira. »

Mais la Rafale renifla avec mépris.

« Tu me vois manger de ces vieilles baies sèches ? dit-il.

— Je pensais qu'elles te feraient plaisir », murmura Gauche-le-Manchot en jetant la branche, déçu.

Mais celle-ci tomba juste devant le garçon qui fut prompt à la saisir et à manger à sa faim.

Peu après, les corneilles reprirent leur vol. Le soleil était couché mais il faisait encore tout à fait jour quand les corneilles arrivèrent à la grande lande de bruyère. La Rafale envoya une corneille en avant pour annoncer qu'il avait réussi et, lorsqu'elle l'apprit, la Bourrasque s'envola avec plusieurs centaines de corneilles de la colline pour accueillir les arrivants. Dans le tonnerre de croassements que poussèrent alors les corneilles, Gauche-le-Manchot souffla au garçon :

« Tu as été si drôle et si gai pendant le voyage que je t'aime bien. Aussi, laisse-moi te donner un conseil. Dès que nous serons à terre on te demandera d'accomplir un travail qui te semblera facile, mais surtout garde-toi de le faire ! »

Un moment plus tard, Gauche-le-Manchot déposa Nils Holgersson au fond d'un trou de sable. Le garçon glissa à terre et y resta étendu, comme exténué de fatigue. Tant de corneilles battaient des ailes autour de lui que l'air grondait comme une tempête, mais il ne leva pas les yeux.

« Poucet, dit la Rafale, debout maintenant ! Tu vas

nous aider à faire quelque chose de très simple pour toi. »

Mais le garçon, prétendant dormir, ne bougea pas. Alors la Rafale le prit par le bras et le traîna sur le sable jusqu'à un pot de terre comme on en faisait autrefois.

« Lève-toi, Poucet, dit-il, et ouvre-nous ce pot !

— Pourquoi ne veux-tu pas me laisser dormir ? répliqua-t-il. Je suis trop fatigué pour faire quoi que ce soit ce soir. Attendons demain !

— Ouvre-le ! ordonna une nouvelle fois la Rafale. Sinon il t'arrivera malheur. »

Le garçon se leva, avança en chancelant vers le pot, tâta le couvercle et laissa retomber ses bras.

« D'habitude, je ne suis pas aussi faible, dit-il. Laissez-moi seulement dormir jusqu'à demain et je crois que je viendrai à bout de ce couvercle. »

Mais la Rafale était impatient, il se jeta en avant et pinça la jambe du garçon. Ce dernier, ne supportant pas d'être ainsi traité par une corneille, se dégagea prestement[1], fit quelques pas en arrière, dégaina son couteau et le brandit devant lui.

« Prends garde à toi ! » cria-t-il à la Rafale.

La Rafale était cependant si irrité qu'il ne recula pas devant le danger. Fou furieux, il se précipita sur le garçon et arriva ainsi droit sur le couteau qui lui entra dans l'œil et s'enfonça jusqu'au cerveau. Le gar-

---

1. Rapidement, avec un mouvement vif.

çon retira vivement le couteau, quant à la Rafale, il écarta les ailes, puis tomba, raide mort.

« La Rafale est mort ! L'étranger a tué notre chef la Rafale ! » crièrent les corneilles les plus proches, puis ce fut un vacarme épouvantable.

Certaines se lamentaient, d'autres criaient vengeance. Toutes coururent ou volèrent sur le garçon, Gauche-le-Manchot en tête. Mais celui-ci, comme d'habitude, fut maladroit. Il ne cessa de battre des ailes au-dessus de Poucet, empêchant ainsi les autres d'approcher et de le transpercer de leurs becs.

Le garçon, lui, pensait que cette fois il était en mauvaise posture[1]. Pas question de courir pour échapper aux corneilles et il ne voyait pas d'endroit où il aurait pu se cacher. Alors, soudain, il pensa au pot de terre. Il saisit fermement le couvercle et l'arracha. Puis il sauta à l'intérieur pour s'y cacher. Mais la cachette était mauvaise puisque le pot était rempli à ras bord de petites pièces d'argent minces. Impossible de s'y enfoncer profondément. Alors il se pencha et entreprit de les jeter.

Dès qu'il jeta les pièces, les corneilles oublièrent d'un coup leur désir de vengeance et se précipitèrent pour les ramasser. Et aussitôt que l'une d'elles parvenait à en attraper une, elle se hâtait vers son nid pour l'y cacher.

Lorsque le garçon eut jeté toutes les pièces

---

1. Dans une position délicate, en danger.

d'argent du pot, il leva les yeux. Il ne restait plus qu'une corneille dans le trou, c'était Gauche-le-Manchot avec une plume blanche dans l'aile, celui qui l'avait porté.

« Tu m'as rendu un service bien plus grand que ce que tu imagines, Poucet, dit la corneille d'une voix et d'un ton tout différents de ceux d'avant. Et je tiens à te sauver la vie. Grimpe sur mon dos et je te mènerai dans une cachette où tu seras en sûreté pour cette nuit ! Demain je veillerai à ce que tu puisses retrouver les oies sauvages. »

La cabane

Jeudi 14 avril.

Le lendemain matin, quand le garçon se réveilla, il était couché sur un lit. Ainsi à l'abri entre quatre murs et avec un toit au-dessus de la tête, il avait l'impression d'être revenu chez lui.

« Je me demande si maman ne va pas bientôt apporter le café », murmura-t-il dans un demi-sommeil.

Puis il se souvint qu'il se trouvait dans une petite maison abandonnée, sur la colline aux Corneilles, et que Gauche-le-Manchot avec une plume blanche l'y avait amené la veille au soir.

Le garçon ressentait dans tout son corps les courbatures dues au voyage de la veille et il appréciait de pouvoir rester allongé immobile en attendant Gauche-le-Manchot qui avait promis de venir le chercher.

Le lit était entouré de rideaux de cotonnade à carreaux et il les écarta pour regarder la cabane. Un coup d'œil lui suffit pour comprendre qu'il n'avait jamais vu de maison construite comme celle-ci. Les murs étaient simplement faits d'une succession de rondins[1] empilés qui continuaient sous le toit. Il n'y avait pas de plafond et il pouvait voir jusqu'au faîte. La cabane était si petite qu'on l'aurait plutôt dite construite pour des gens comme lui que pour des humains.

Le garçon ne put s'empêcher de se demander qui pouvaient bien en être les propriétaires et pourquoi ils l'avaient abandonnée. Apparemment, les gens qui avaient habité ici avaient eu l'intention de revenir. La cafetière et la marmite étaient restées sur le fourneau, et un tas de petit bois attendait au coin de l'âtre. Le fourgon et la pelle à enfourner étaient rangés dans un autre coin, le rouet[2] était posé sur un banc, du lin et de l'étoupe[3] étaient entassés sur l'étagère au-dessus de la fenêtre, ainsi que quelques écheveaux de laine, une chandelle de suif[4] et un paquet d'allumettes.

---

1. Gros morceaux de bois.
2. Instrument qui sert à filer la laine.
3. Morceau de chanvre grossier.
4. Graisse qu'on brûle et qui sert à éclairer.

Il regarda autour de lui dans la cabane pour voir si quelque chose pourrait lui servir. « Je peux bien prendre ce dont j'ai besoin puisque personne ne s'en soucie », pensa-t-il. Mais la plupart des choses étaient trop grosses ou trop lourdes. En fin de compte, il n'allait prendre que quelques allumettes.

Il grimpa sur la table et, s'aidant du rideau, il se lança sur l'étagère au-dessus de la fenêtre. Il se trouvait là, en train de remplir son sac d'allumettes, lorsque la corneille à la plume blanche entra par le carreau cassé.

« Me voici ! dit Gauche-le-Manchot en se posant sur la table. Je n'ai pas pu venir plus tôt, parce que nous autres corneilles, nous nous sommes rassemblées ce matin afin d'élire un nouveau chef pour succéder à la Rafale.

— Et qui avez-vous choisi ? demanda le garçon.

— Eh bien, nous avons choisi quelqu'un qui n'autorisera pas le vol et l'injustice. Nous avons choisi Garm-Plume-Blanche qu'on appelait autrefois Gauche-le-Manchot, répondit-il en s'étirant majestueusement.

— C'est un bon choix, approuva le garçon en le félicitant.

— Oui, tu peux effectivement me souhaiter bonne chance », dit Garm qui raconta alors au garçon les temps difficiles qu'il avait vécus avec la Rafale et la Bourrasque.

Alors qu'il parlait, le garçon entendit sous la fenêtre une voix qu'il lui sembla reconnaître :

« Est-ce là qu'il se trouve ? demanda Smirre le renard.

— Oui, c'est ici qu'il se cache, répondit une voix de corneille.

— Attention, Poucet ! cria Garm. La Bourrasque est là dehors avec ce renard qui veut te manger. »

Il n'eut pas le temps d'en dire davantage. Smirre s'était lancé contre la fenêtre. Le vieux châssis[1] vermoulu[2] céda et, l'instant d'après, Smirre se dressait sur le rebord de la fenêtre. Garm-Plume-Blanche n'eut pas même le temps de s'envoler, Smirre le tua d'un coup de croc. Puis le renard sauta par terre et ses yeux cherchèrent le garçon.

Ce dernier essayait de se dissimuler derrière un gros paquet d'étoupe mais Smirre l'avait déjà vu et, ramassé sur lui-même, s'apprêtait à bondir. La cabane était si petite et si basse que le garçon comprit vite que le renard l'attraperait sans difficulté. Mais le garçon ne manquait pas d'armes. Vivement, il craqua une allumette, l'approcha de l'étoupe et, dès que celle-ci fut en feu, il la jeta sur Smirre. Lorsque le renard sentit les flammes le toucher, il fut saisi de terreur et, sans plus penser au garçon, il se précipita dehors.

---

1. Ce qui entoure la fenêtre.
2. Dévoré par les vers, pourri.

Mais Poucet avait échappé à un danger pour plonger dans un autre. De l'étoupe qu'il avait jetée sur Smirre, le feu avait eu le temps de gagner le rideau du lit. Nils redescendit et essaya de l'étouffer, mais les flammes étaient déjà trop importantes. La maison fut ainsi rapidement pleine de fumée et Smirre le renard, qui s'était arrêté de l'autre côté de la fenêtre, commença à comprendre ce qui se passait à l'intérieur.

« Alors, Poucet ! cria-t-il. Qu'est-ce que tu préfères, te laisser griller ou venir me voir ? Personnellement je préférerais te manger mais quelle que soit ta mort, elle me sera agréable. »

Le garçon ne voyait effectivement pas d'autres solutions que celles que proposait le renard car le feu se propageait à une vitesse folle. Tout le lit était déjà en flammes et de la fumée montait du parquet. Le garçon s'était hissé sur l'âtre et essayait d'ouvrir le volet du four quand il entendit qu'on enfonçait une clé dans la serrure et la tournait lentement. Ce devaient être des humains et, dans sa détresse, ce ne fut pas de la peur qu'il ressentit mais de la joie. Il était déjà sur le seuil quand la porte s'ouvrit enfin. Deux enfants se dressaient devant lui, mais il ne prit pas le temps de voir la tête qu'ils faisaient en découvrant leur maison en flammes car il se précipita dehors.

Il n'osa pas courir loin. Il savait bien que Smirre le renard le guettait et il comprit qu'il devait rester à proximité des enfants. Il se retourna pour voir de quoi ils avaient l'air, mais son regard ne les effleura pas même une seconde avant qu'il s'élançât vers eux en criant :

« Hé, bonjour, Åsa gardeuse d'oies ! Bonjour, Petit Mats ! »

Car dès qu'il vit ces deux enfants, le garçon oublia totalement où il se trouvait. Les corneilles, la maison en flammes et les animaux qui parlent disparurent de sa mémoire. Il marchait dans un champ moissonné près de Västra Vemmenhög et surveillait un troupeau d'oies, et dans le champ d'à côté les deux enfants du Småland surveillaient les leurs. Et dès qu'il les apercevait, il sautait sur la murette de pierre et criait :

« Bonjour, Åsa gardeuse d'oies ! Bonjour, Petit Mats ! »

Mais, quand les enfants virent venir cet être minuscule qui leur tendait la main, ils se serrèrent l'un contre l'autre et reculèrent, l'air complètement terrorisé.

Lorsqu'il vit leur frayeur, le garçon reprit ses esprits et se rappela qui il était. Et il se dit que d'être vu ainsi sous sa forme ensorcelée par ces deux enfants-là était bien ce qui pouvait lui arriver de pire. La honte et le chagrin de ne plus être un enfant normal le submergèrent. Il se retourna et s'enfuit sans même savoir où.

Une rencontre heureuse attendait cependant le garçon sur la lande. Car dans les bruyères il distingua quelque chose de blanc, et voilà que le jars s'avançait dans sa direction en compagnie de Douce-Plume. Lorsque le blanc vit Nils accourir avec cette précipitation, il se dit que de cruels ennemis devaient le poursuivre. Sans perdre une seconde, il le jeta sur son dos et s'envola.

12

La vieille paysanne

Jeudi 14 avril.

C'était tard le soir et trois voyageurs fatigués cherchaient un gîte pour la nuit. Ils marchaient dans une région pauvre et désertique du nord du Småland mais ils trouveraient certainement l'endroit désiré car ils n'étaient pas gens délicats exigeant un lit douillet et une chambre confortable.

Alors qu'il faisait si sombre qu'il ne restait pratiquement plus la moindre bande de jour sous le ciel, ils rencontrèrent enfin une ferme écartée, distante de tout voisinage. Et qui non seulement était isolée mais paraissait totalement inhabitée. Aucune fumée ne montait de la cheminée, aucune lumière n'était visible aux fenêtres.

Peu après, tous trois étaient dans la cour. À peine le pied posé par terre, deux s'endormirent mais le troisième regarda vivement autour de lui pour découvrir un abri. Il ne s'agissait pas d'une petite ferme. À part la maison d'habitation et l'écurie et l'étable, il y avait de longs bâtiments abritant des granges, des greniers et des remises. Mais tout avait l'air terriblement pauvre et délabré. Les murs gris, couverts de mousse, penchaient et semblaient près de s'écrouler. Des trous béants creusaient les toits, et les portes pendaient de guingois[1] sur des gonds cassés. De toute évidence personne ne s'était soucié de planter un clou par ici.

Celui qui ne dormait pas avait néanmoins repéré l'étable, il secoua ses compagnons de voyage pour les réveiller et les guida vers la porte de celle-ci. Mais quand elle s'ouvrit avec un grincement perçant, il entendit le meuglement d'une vache.

« C'est vous, enfin, maîtresse ? dit la vache. Je commençais à me dire que vous n'alliez pas me donner à manger ce soir. »

Effrayé, celui qui restait éveillé s'arrêta à la porte lorsqu'il se rendit compte que l'étable n'était pas vide. Mais voyant bientôt qu'il n'y avait là qu'une

---

1. De travers.

seule vache et trois ou quatre poules, il reprit courage.

« Nous sommes trois pauvres voyageurs qui souhaiterions nous abriter quelque part où aucun renard ne pourrait nous surprendre et aucun humain nous capturer, dit-il. Je suis Nils Holgersson de Västra Vemmenhög, qui a été transformé en tomte. Et je suis en compagnie d'un jars domestique qui accepte d'être ma monture et d'une oie cendrée.

— Nous n'avons encore jamais accueilli d'aussi étonnants visiteurs, dit la vache. Soyez les bienvenus, même si j'aurais préféré voir arriver ma maîtresse avec mon repas du soir. »

Le garçon fit alors entrer les oies dans l'étable relativement spacieuse et les installa dans une stalle[1] inoccupée où elles s'endormirent aussitôt. Puis il se prépara une litière de paille, certain de trouver rapidement le sommeil.

Mais brusquement, la vache s'adressa au garçon :

« Si je ne me trompe, l'un de ceux qui sont entrés ici disait qu'il était un tomte. Eh bien, si c'est le cas, il doit bien savoir s'occuper d'une vache ?

— Qu'est-ce qui t'arrive donc ? demanda le garçon.

— Tout va mal, dit la vache. Je n'ai été ni traite ni étrillée[2]. Je n'ai pas eu mon souper dans le râte-

_____

1. Endroit, compartiment réservé aux animaux.
2. Frottée pour être nettoyée.

lier et ma litière n'a pas été changée. Ma maîtresse est venue à la tombée du jour comme d'habitude, pour tout me préparer, mais elle s'est sentie si malade qu'elle est rentrée tout de suite et n'est pas revenue.

— Je vais défaire ta chaîne, dit le garçon, et t'ouvrir la porte pour que tu puisses sortir et boire dans une des flaques d'eau de la cour, puis j'essaierai de grimper dans la paillère[1] pour faire tomber du foin dans ton râtelier.

— Oui, cela m'aiderait certainement », approuva la vache.

Le garçon fit ce qu'il avait promis et, lorsque la vache se retrouva devant un râtelier plein, il songea qu'il allait enfin pouvoir dormir. Mais à peine s'était-il enfoncé dans sa couche, qu'elle s'adressa de nouveau à lui :

« Je suppose que je vais t'exaspérer si je te demande encore quelque chose, dit-elle.

— Pas du tout, pourvu seulement que ce soit quelque chose dont je sois capable, répliqua le garçon.

— Alors je voudrais te demander d'entrer dans la maison en face pour voir comment va ma maîtresse. J'ai peur qu'il lui soit arrivé malheur.

— D'accord, si tu ne me demandes rien d'autre, je suppose que j'arriverai à faire ça », dit le garçon.

Il ouvrit donc la porte de l'étable et sortit dans la cour. C'était horrible de sortir par une nuit pareille.

---

1. Endroit où l'on stocke la paille.

Ni la lune ni les étoiles ne brillaient, le vent sifflait et la pluie tombait à verse. Mais le pire était sept gros hiboux perchés sur le faîte de la maison d'habitation. Les entendre se plaindre du temps était déjà sinistre, mais imaginer ce qui lui arriverait si l'un d'entre eux l'apercevait était encore bien pire.

Il escalada quelques marches et réussit à franchir le seuil. Mais à peine eut-il jeté un coup d'œil qu'il sursauta et retira sa tête. Une vieille femme aux cheveux gris était étendue par terre. Elle ne bougeait pas et ne se plaignait pas non plus, et son visage paraissait étonnamment blanc, comme si une lune invisible avait posé dessus sa lumière pâle.

Le garçon se souvint que, lorsque son grand-père maternel était mort, son visage aussi était devenu étrangement blanc. Et il comprit que la personne âgée qui était étendue par terre dans la maison devait être morte. La mort avait dû la saisir si vite qu'elle n'avait même pas eu le temps de s'allonger sur son lit.

Terriblement effrayé de se sentir ainsi seul avec un mort au milieu de la nuit noire, il bondit dans l'escalier et courut vers l'étable. Quand il eut raconté à la vache ce qu'il avait vu dans la maison, elle s'arrêta de manger.

« Ainsi, ma maîtresse est morte, murmura-t-elle. Alors, mon tour ne va pas tarder. »

Pendant un moment, elle ne dit plus rien, mais le garçon se rendit compte qu'elle ne dormait pas, et ne mangeait pas non plus. Et il ne fallut pas longtemps avant qu'elle se remît à parler.

« Est-elle couchée par terre ? demanda-t-elle.

— Oui, répondit le garçon.

— Elle avait l'habitude, reprit la vache, de venir à l'étable parler de tous ses soucis. Je comprenais ce qu'elle disait, même si je ne pouvais pas lui répondre. Ces derniers jours, elle disait qu'elle craignait de n'avoir personne auprès d'elle quand elle allait mourir. Elle avait peur que personne ne ferme ses paupières ni ne croise ses mains sur sa poitrine quand elle serait morte. Peut-être pourrais-tu retourner le faire ? »

Le garçon hésita, mais il se souvint que, quand son grand-père était mort, sa mère avait fait très attention à ces choses-là. Il savait qu'elles étaient nécessaires. D'un autre côté, il se sentait incapable de retourner auprès de la morte dans la nuit sinistre. Il ne dit pas non, mais il ne fit pas non plus un pas vers la porte de l'étable.

Pendant quelques instants, la vieille vache resta silencieuse, comme dans l'attente d'une réponse. Mais, comme le garçon ne disait rien, elle ne répéta pas sa demande. À la place, elle se mit à lui parler de sa maîtresse.

Et elle en avait à raconter. Pour commencer, il y avait tous les enfants que la femme avait élevés. Tous avaient été de bons jeunes gens, joyeux et travailleurs.

Et il y avait beaucoup de choses à raconter sur la ferme. Elle n'avait pas toujours été aussi pauvre qu'aujourd'hui. Mais le maître était mort quand les enfants étaient encore si petits qu'ils ne savaient aider, et la maîtresse avait dû s'atteler seule à toutes les besognes. Forte comme un homme, elle s'était chargée des labours comme des moissons. Le soir, quand elle venait traire, elle était parfois si lasse qu'elle en pleurait. Mais quand elle pensait à ses enfants, le sourire lui revenait. Elle chassait les larmes de ses yeux et disait :

« Qu'importe. Moi aussi, je vivrai de beaux jours, quand mes enfants seront grands. » Mais dès que les enfants furent adultes, une étrange nostalgie s'empara d'eux. Ils ne voulurent pas rester à la ferme et la quittèrent pour un pays étranger. Quelques-uns avaient eu le temps de se marier avant leur départ, et ils avaient laissé leurs enfants en bas âge à la ferme. Et, le soir, quand la maîtresse était si fatiguée qu'elle s'endormait parfois en pleine traite, elle se redonnait du courage en pensant à eux. « Moi aussi, je vivrai de beaux jours, se disait-elle en se secouant pour se réveiller, pourvu qu'ils deviennent grands. » Mais lorsque ces enfants furent adultes, ils partirent rejoindre leurs parents dans ce pays étranger. Personne ne revenait, personne ne restait. La vieille maîtresse demeura seule dans la ferme.

Lorsque le dernier petit-enfant partit, la maîtresse s'effondra. D'un coup elle devint voûtée et grise et elle chancelait en marchant comme si elle n'avait plus eu la force de tenir debout. Et elle cessa de travailler. Elle ne voulait plus s'occuper de la ferme. Elle laissa tout tomber en ruine, ne s'occupa plus des bâtiments, et elle vendit les bœufs et les vaches. La seule qu'elle avait conservée était cette vieille vache qui maintenant parlait à Poucet. Elle la garda en vie, parce que tous ses enfants l'avaient menée paître.

Elle ne pensait jamais à rien d'autre qu'à ses enfants et à leur départ. Quand venait l'été, elle sortait la vache pour la laisser brouter sur la grande tourbière[1]. Elle-même restait assise au bord toute la journée, les mains sur les genoux, et en rentrant elle disait :

« Tu vois, Roussette, s'il y avait eu ici de vastes champs fertiles au lieu de ce marécage stérile, ils n'auraient pas été obligés de partir. »

Ce dernier soir, elle avait été plus faible et plus tremblante que jamais auparavant. Elle n'avait même pas eu la force de traire. Elle était restée penchée contre la cloison en racontant que deux paysans étaient venus la voir pour lui proposer d'acheter la tourbière. Ils voulaient la drainer avant de l'ensemencer et d'y moissonner. Cela l'avait rendue inquiète et heureuse à la fois.

« Tu entends, Roussette, avait-elle annoncé. Tu

---

1. Sol qui contient beaucoup de tourbe (couche de végétaux en décomposition, qui donne au sol une couleur noire).

entends, ils ont dit qu'on peut faire pousser du seigle ici ! Maintenant je vais écrire aux enfants qu'ils peuvent revenir. Ils n'ont plus besoin de rester là-bas désormais. Leur pain, ils le trouveront ici même. »

C'était pour leur écrire qu'elle était rentrée dans la maison.

Le garçon avait cessé d'écouter le récit de la vieille vache. Il avait ouvert la porte de l'étable et traversé la cour pour entrer auprès de la morte dont il avait eu si peur tout à l'heure.

Pour commencer, il ne bougea pas et regarda autour de lui.

La maison n'était pas aussi pauvre qu'il aurait cru. Partout on voyait de ces choses qu'on trouve chez ceux qui ont des parents en Amérique. Dans un coin il y avait un rocking-chair[1] américain, sur la table devant la fenêtre une nappe en velours bariolé, sur le lit une belle couverture, et aux murs, dans de jolis cadres sculptés, étaient suspendues des photographies des enfants et des petits-enfants absents, sur la commode étaient posés de longs vases et une paire de chandeliers avec de grosses bougies vrillées[2].

Le garçon trouva une boîte d'allumettes et alluma les bougies, non pas parce qu'il voulait y voir mieux, mais parce qu'il pensait que c'était là un moyen de rendre hommage à la morte.

---

1. Fauteuil à bascule.
2. En forme de torsade.

Puis il s'approcha d'elle, baissa ses paupières, croisa ses mains sur sa poitrine et écarta de son visage ses cheveux gris et fins.

Il n'avait plus peur d'elle. De savoir qu'elle avait vécu sa vieillesse dans la solitude et le regret de ceux qui lui étaient chers l'attristait sincèrement. Cette nuit, il allait au moins veiller son corps.

Il trouva le psautier[1] et s'installa pour lire quelques cantiques à mi-voix. Mais, en pleine lecture, il s'arrêta parce qu'il venait de songer à sa mère et à son père.

Des parents pouvaient donc regretter à ce point leurs enfants ! Jamais il ne se l'était imaginé. Pour eux la vie s'arrêtait donc pour ainsi dire du jour où leurs enfants s'en allaient ! Et si, là-bas, ses parents étaient en train de le regretter comme cette vieille femme avait regretté ses enfants ?

Cette pensée le réjouit, mais il n'osait y croire. Il avait été de ceux dont personne ne regrette l'absence.

Autour de lui, il voyait les portraits de ceux qui étaient partis. De grands hommes forts et des femmes aux visages sérieux. Des mariées avec de longs voiles et des messieurs en beaux costumes, des enfants aux cheveux frisés au fer et en belles robes blanches. Et il eut l'impression que tous regardaient devant eux comme des aveugles, qu'ils refusaient de voir.

« Pauvres malheureux ! dit le garçon aux portraits.

---

1. Recueil de chants religieux.

Votre mère est morte. Vous ne pourrez plus réparer votre départ. Mais ma mère, à moi, est encore en vie ! »

Et là il s'arrêta et se mit à hocher la tête en souriant pour lui-même.

« Ma mère est en vie, dit-il. Autant mon père que ma mère sont en vie ! »

Vendredi 15 avril.

Le garçon resta éveillé pratiquement toute la nuit mais finit par s'endormir à l'approche du matin. Il rêva alors de son père et de sa mère. Il les reconnaissait à peine. Tous deux avaient les cheveux gris et des visages vieux et ridés. Il leur demanda la raison de cela et ils répondirent qu'ils avaient vieilli ainsi parce qu'il leur manquait, ce qui l'émut et l'étonna à la fois car il avait toujours pensé qu'ils seraient contents d'être débarrassés de lui.

Quand le garçon se réveilla, le matin était là et le temps superbe. Il commença par manger un morceau de pain qu'il trouva dans la maison puis donna leur fourrage[1] matinal aux oies et à la vache et laissa la porte de l'étable ouverte pour que cette dernière pût s'en aller à la ferme voisine. Quand elle arriverait seule, les voisins comprendraient certainement que sa maîtresse était mal en point, ils courraient à la

---

1. Nourriture pour animaux.

ferme abandonnée pour voir la vieille, et trouveraient son corps qu'ils enterreraient.

Le garçon et les oies s'étaient à peine élevés dans les airs qu'ils aperçurent une hauteur aux parois presque verticales et au sommet tronqué. Au sommet, Akka, Yksi, Kaksi, Kolme, Viisi, Kuusi et les six oisons les attendaient. Et l'on imagine leur joie, accompagnée de caquètements, de cris et de battements d'ailes indescriptibles quand elles virent que le jars et Douce-Plume avaient réussi à trouver Poucet.

13

Le sabot perdu

Samedi 23 avril.

Le garçon survolait de très haut la vaste plaine de l'Östergötland. Les hommes avaient dû se sentir bien dans cette plaine généreuse et agréable, et ils avaient essayé de la décorer de leur mieux. De son perchoir, le garçon avait l'impression que les villes et les fermes, les églises et les usines, les châteaux et les gares de chemin de fer la parsemaient comme autant de bijoux, grands ou petits. Les tuiles des toits brillaient, les carreaux des fenêtres scintillaient comme des joyaux. Des routes jaunes, des rails luisants et des canaux bleus reliaient les localités entre elles comme des lacets de soie. Les maisons de

Linköping entouraient la cathédrale comme des perles ceignent une pierre précieuse, et les fermes dans la campagne faisaient comme de petites broches ou boutons. Le dessin n'était guère régulier mais d'une splendeur qu'on ne se lassait pas de contempler.

À Norrköping, les oies quittèrent la plaine pour se diriger vers la forêt de Kolmården. Depuis un moment elles suivaient la vieille route qui monte et descend et serpente le long de ravins et au pied de falaises sauvages, lorsque soudain le garçon poussa un cri. En balançant son pied d'avant en arrière, il venait de perdre son sabot.

« Jars, jars, j'ai perdu mon sabot ! » cria le garçon.

Le jars fit demi-tour et plongea vers le sol, mais le garçon vit alors que deux enfants qui marchaient sur la route avaient ramassé son sabot.

« Jars, jars, cria vivement le garçon. Remonte vite ! Il est trop tard. Je ne pourrai pas le récupérer. »

Sur la route, Åsa la gardeuse d'oies et son frère, le petit Mats, contemplaient un petit sabot tombé du ciel.

« C'est les oies sauvages qui l'ont perdu », dit le petit Mats.

Åsa la gardeuse d'oies resta longtemps silencieuse à réfléchir à leur trouvaille. Puis, lentement, et d'un ton réfléchi, elle dit :

« Tu te souviens, Petit Mats, que quand nous sommes passés à la ferme d'Övedskloster on nous a parlé d'un tomte qui portait des culottes de cuir et des sabots aux pieds comme n'importe quel journalier ? Et que quand nous sommes arrivés chez nous, Petit Mats, nous avons vu un lutin vêtu de la même manière et qui a sauté sur le dos d'une oie qui elle aussi s'est envolée. Peut-être était-ce lui qui passait là-haut avec les oies et qui a perdu son sabot. Regarde ! dit Åsa la gardeuse d'oies. Il y a quelque chose d'écrit sur le côté.

— Oui, tu as raison. Mais les lettres sont tellement petites.

— Fais voir ! Oui, c'est bien écrit. Il y a écrit "Nils Holgersson de V. Vemmenhög".

— Jamais je n'ai vu quelque chose d'aussi bizarre », dit le petit Mats.

14

La débâcle des glaces

Jeudi 28 avril.

Tôt le matin, Åsa la gardeuse d'oies et le petit Mats marchaient sur une route qui, du Sörmland, menait dans le Närke. La route serpentait le long de la rive sud du Hjälmaren et les enfants regardaient la glace qui couvrait encore la plus grande partie du lac.

Ils marchaient vers le nord, et ils ne pouvaient s'empêcher de penser au nombre de pas qui leur seraient épargnés s'ils pouvaient traverser ce grand lac plutôt qu'en faire le tour. Ils savaient bien sûr que la glace de printemps est traîtresse, mais celle-ci avait l'air parfaitement sûre. Près de la rive, ils la voyaient épaisse de plusieurs pouces[1]. Ils discernaient aussi un chemin qu'ils pourraient suivre pour atteindre l'autre rive, qui paraissait si près qu'elle leur semblait accessible en une heure.

« Allez, viens, on essaie ! dit le petit Mats. Il suffit de faire attention de ne pas tomber dans un trou d'eau, et on y arrivera sûrement. »

Ils s'avancèrent donc sur le lac. La glace, peu glissante et agréable sous le pied, était cependant couverte de plus d'eau que ce qu'ils avaient pu voir et, par endroits, elle était percée de petits trous par lesquels l'eau montait et descendait. Il fallait prendre garde à ces endroits mais, en plein jour et sous ce soleil, ce n'était pas bien difficile.

Il y avait certes de larges bassins d'eau, et les enfants étaient obligés de faire de longs détours. Mais cela les amusait, ils jouaient à qui trouverait l'endroit où la glace était la meilleure. Ils n'étaient pas fatigués et ils n'avaient pas faim. Ils avaient la journée devant eux, et l'apparition de nouveaux obstacles n'était que prétextes à rire.

Parfois, leur regard se portait sur l'autre rive. Elle semblait encore très éloignée bien qu'ils eussent déjà marché une bonne heure. La largeur de ce lac les étonnait un peu.

« C'est comme si la rive s'éloignait à mesure qu'on avance », dit le petit Mats.

---

1. Mesure de longueur (entre deux et trois centimètres environ).

Ici, ils n'étaient plus à l'abri du vent d'ouest. À chaque minute il forcissait et plaquait leurs vêtements sur eux, entravant[1] leurs mouvements. Et ce vent froid fut le premier véritable désagrément qu'ils rencontrèrent pendant leur marche.

Ce qui les étonnait, surtout, c'était que ce vent arrivait sur eux en apportant un impressionnant vacarme, comme s'il avait transporté le bruit d'un grand moulin ou d'un atelier de mécanique. Et de ce genre de choses, il n'y en avait pas sur les étendues de glace !

Ils étaient passés à l'ouest de la grande île de Valen, et ils avaient maintenant vraiment l'impression d'approcher de la rive nord. Mais en même temps le vent s'était fait plus pénible, et le vacarme qu'il apportait avait augmenté à un point tel que les enfants commençaient à s'inquiéter.

Soudain, ils eurent l'impression de comprendre que le tonnerre qu'ils entendaient provenait de vagues qui se jetaient, bruyantes et écumantes, sur une grève. Mais c'était impossible, puisque le lac était encore couvert de glace.

Quoi qu'il en soit, ils s'arrêtèrent et regardèrent autour d'eux. Alors, loin vers l'ouest, du côté de l'île de Björn et de Göksholmen, ils remarquèrent une ligne blanche qui striait le lac. Tout d'abord, ils

---

1. Gênant, empêchant.

crurent qu'il s'agissait d'une longue congère[1] en bordure d'une route, mais très vite ils comprirent que c'était l'écume de vagues qui se brisaient sur la glace.

Voyant cela, ils se donnèrent la main et se mirent à courir sans rien dire. Soudain, ils eurent l'impression que la glace se soulevait à l'endroit même où ils couraient. Puis on entendit un sourd craquement dans la glace et des fêlures s'étoilèrent[2] dans tous les sens, que les enfants virent très bien parcourir l'épaisseur de la glace.

Puis tout fut calme un moment mais bientôt ils la sentirent une nouvelle fois monter et redescendre, à la suite de quoi les fêlures devinrent des fissures, par lesquelles ils virent sourdre[3] l'eau. Les fissures, ensuite, devinrent des fentes, et la glace commença à se diviser en larges plaques.

« Åsa ! cria le petit Mats. C'est la débâcle[4] !

— Oui, on dirait, Petit Mats, dit Åsa. Mais nous avons encore le temps de rejoindre la rive. Cours ! »

En réalité, le vent et les vagues avaient encore beaucoup à œuvrer pour ôter la glace du lac. Le plus dur avait sans doute été fait en éclatant la couche, mais tous ces morceaux devaient encore être divisés.

Le plus dangereux pour ces enfants était qu'ils n'avaient aucune vue d'ensemble de la glace. Ils ne

---

1. Gros amas de neige.
2. S'ouvrirent en forme d'étoile.
3. Sortir, surgir.
4. Fonte des neiges.

pouvaient voir où les fentes étaient larges au point de les empêcher de traverser. Ils ne savaient pas non plus où se trouvaient les grosses plaques de glace capables de les supporter. De ce fait, ils erraient dans tous les sens. Et ils repartirent vers le lac au lieu de se rapprocher de la rive.

C'est alors que passa au-dessus d'eux un vol d'oies sauvages qui battaient énergiquement l'air de leurs ailes, et le plus étrange fut qu'au milieu du caquetage des oies les enfants entendirent distinctement :

« Prenez sur la droite, sur la droite, sur la droite ! »

Sans tarder ils se remirent en mouvement et suivirent le conseil, mais très vite ils se retrouvèrent indécis devant une large fente.

De nouveau ils entendirent les oies crier au-dessus de leurs têtes et, au milieu des caquètements, ils distinguèrent quelques mots :

« Restez où vous êtes ! Restez où vous êtes ! »

Les enfants ne discutèrent pas entre eux de ce qu'ils entendaient, mais ils obéirent et ne bougèrent plus. Peu après, les morceaux de glace glissèrent et s'approchèrent suffisamment l'un de l'autre pour leur permettre de franchir la fissure. Alors ils se donnèrent à nouveau la main et coururent, effrayés autant par le danger que par cette aide qu'ils venaient de recevoir.

Et cela continua pendant une bonne demi-heure, jusqu'à ce qu'ils atteignent le long promontoire de

Lunger devant lequel ils quittèrent la glace et patau-
gèrent dans l'eau pour rejoindre la rive. On put voir
alors à quel point ils étaient terrifiés, car une fois sur
la terre ferme ils ne s'arrêtèrent même pas pour
regarder le lac, où les vagues maintenant bousculaient de plus en plus violemment les blocs de glace,
et ils ne firent que poursuivre leur marche. Pourtant,
lorsqu'ils furent arrivés un peu plus haut sur le promontoire, Åsa s'arrêta soudain.

« Attends-moi ici, Petit Mats ! dit-elle. J'ai oublié
quelque chose. »

Åsa la gardeuse d'oies revint sur la grève. Là, elle
se mit à fouiller dans son sac d'où elle tira finalement
un petit sabot qu'elle posa sur une pierre sur laquelle
on le voyait très distinctement. Puis elle rejoignit le
petit Mats sans se retourner une seule fois.

À peine avait-elle tourné le dos qu'une grande oie
blanche fendit l'air comme un éclair, happa[1] le sabot
dans son bec et remonta dans les airs aussi vite.

---

1. Saisit, attrapa rapidement.

15

La nuit de la Sainte-Walpurgis

Samedi 30 avril.

Le lendemain et le jour suivant, le vol des oies sauvages passa au-dessus de la Dalécarlie.

Il existe un jour que tous les enfants de Dalécarlie attendent avec autant d'impatience que celui de Noël, c'est la veille de la Sainte-Walpurgis, parce qu'on leur permet d'allumer des feux dehors.

Plusieurs semaines à l'avance, les garçons et les filles ne pensent plus qu'à ramasser du bois pour les feux de la Sainte-Walpurgis.

Quand arrive le soir tant attendu, les enfants de chaque village ont dressé un grand tas de brindilles, de branches et de tout ce qui brûle sur le haut d'une colline ou au bord d'un lac.

Les tas sont généralement prêts assez tôt dans l'après-midi et, en attendant le soir, tous les enfants se promènent avec une boîte d'allumettes dans la poche. Alors arrive le bon moment. Tous ceux qui ont apporté un bout de bois, si petit soit-il, sont présents, et le garçon le plus âgé enflamme une botte de paille et la glisse sous le tas. Très vite les flammes s'activent, les branches sifflent et crépitent, les plus petites rougeoient, la fumée monte, noire et menaçante. Enfin la flamme surgit au sommet du bûcher, haute et claire, s'élève immédiatement à plusieurs mètres au-dessus du sol et se voit de partout alentour.

Quand les enfants du village ont bien fait démarrer leur feu, ils prennent le temps de regarder autour d'eux, de voir si là-bas brûle un feu et là-bas un autre. En voici maintenant un sur la colline, et un autre sur le sommet de la montagne ! Tous espèrent que leur feu sera le plus grand et le plus lumineux, et ils craignent si fort qu'on ne jalouse pas le leur[1] qu'au dernier moment ils se précipitent à la ferme pour supplier père et mère de leur donner encore quelques morceaux de planches ou de bûches.

Quand le feu a brûlé un moment, les adultes et les vieux viennent le voir. Mais le feu n'est pas seulement beau et lumineux, il répand aussi une douce chaleur

---

1. Que le leur ne fasse pas envie.

autour de lui et cela les incite à s'asseoir sur les rochers ou les touffes d'herbe à côté. Ils s'asseyent là et regardent fixement les flammes, jusqu'à ce que l'un d'entre eux dise que ce serait bon de se faire un café, vu qu'ils disposent d'un si joli feu. Et, tandis que les cafetières chantent, il arrive que quelqu'un se mette à raconter une histoire, et quand le premier a fini, un autre prend sans tarder la relève.

Les adultes pensent surtout au café et aux histoires. Les enfants, eux, s'appliquent à faire brûler le feu haut et longtemps. Le printemps cette année a tardé à faire fondre la neige et à disloquer les glaces, ce serait bien si leur feu pouvait lui venir en aide. Sans quoi, jamais il ne sera au rendez-vous pour faire éclore les bourgeons et développer les feuilles.

16

L'inondation

Du 1ᵉʳ au 4 mai.

Durant plusieurs jours le temps fut effroyable au nord du lac Mälaren. Le ciel restait d'un gris uniforme, le vent sifflait et la pluie cinglait tout. Les hommes, tout autant que les bêtes, savaient qu'il fallait cela pour que le printemps vienne, mais cela ne les empêchait pas de le trouver insupportable.

Quand la pluie fut tombée une journée entière, les masses de neige dans les forêts de sapins se mirent à fondre pour de bon, et les ruisseaux de printemps à couler. Toutes les flaques d'eau dans les fermes, l'eau paresseuse des fossés, l'eau qui suinte entre les touffes d'herbe dans les marais et tourbières, tout se mit en branle pour essayer de rejoindre les ruisseaux qui menaient à la mer.

Dès qu'on comprit que le lac Mälaren avait l'intention d'inonder, tous les bateaux et barques, qu'on avait remontés pendant l'hiver, furent calfatés[1] et goudronnés à la hâte pour pouvoir être mis à l'eau le plus vite possible. Les pontons de lavage furent tirés sur terre et les ponts des routes furent consolidés. Les employés des chemins de fer chargés de surveiller les tronçons longeant la rive parcouraient sans cesse le ballast et n'osaient dormir ni de nuit ni de jour.

Les paysans qui avaient entassé du foin ou des feuilles sèches dans des granges sur les îlots bas se hâtèrent de les ramener à terre. Les pêcheurs sortirent leurs nasses et leurs filets pour qu'ils ne soient pas emportés par l'inondation. Les voyageurs se pressaient aux embarcadères des bacs. Tous ceux qui devaient rentrer chez eux ou en partir étaient pressés de le faire avant que les traversées fussent impossibles.

Les humains n'étaient pas les seuls à souffrir du débordement du Mälaren. Les canards qui avaient pondu leurs œufs dans les buissons des rives, les campagnols et les musaraignes qui habitaient sur les berges et qui, dans leurs nids, avaient des petits sans défense, tous furent saisis d'angoisse. Même les

_____

1. Réparés (les trous ont été bouchés).

cygnes, d'ordinaire si fiers, appréhendèrent[1] la destruction de leurs nids et de leurs œufs.

Le lac continua de monter ainsi pendant plusieurs jours. Des réserves entières de bois, des piles de troncs et de planches, des quantités de tonneaux et de seaux flottaient à la dérive et, partout, les gens recherchaient en barque ce qui pouvait être sauvé.

Or il advint qu'un jour, pendant cette période difficile, Smirre le renard se faufila dans un bosquet de bouleaux poussant légèrement au nord du Mälaren. Comme toujours, il pensait aux oies sauvages et à Poucet et se demandait comment faire pour les retrouver puisqu'il avait complètement perdu leur trace.

Tandis qu'il errait là, au comble du découragement, il aperçut Agar le pigeon voyageur, perché sur une branche de bouleau.

« J'ai vraiment de la chance, Agar, de t'avoir rencontré, dit Smirre. Tu vas sans doute pouvoir me dire où se trouvent Akka de Kebnekaïse et son troupeau ces jours-ci ?

— Il est bien possible que je le sache, répondit Agar, mais ce n'est pas moi qui te dirai où elles se trouvent.

— Ça m'est égal, dit Smirre. Pourvu que tu acceptes de leur transmettre un message que j'ai pour elles. Tu connais certainement la gravité de la situa-

---

1. Craignirent.

tion près du Mälaren ces jours-ci. L'inondation est énorme et le peuple des cygnes qui habite dans la baie de Hjälsta est en train d'assister à la destruction de ses nids et de ses œufs. Mais Clair-de-Jour, le roi des cygnes, a entendu parler de ce marmot qui accompagne les oies et qui sait trouver une solution à tout, alors il m'a envoyé demander à Akka si elle pouvait descendre vers la baie de Hjälsta avec Poucet. Évite peut-être seulement de dire à Akka que tu tiens le message d'un renard, car il est évident qu'elle serait méfiante. »

Les cygnes de la baie de Hjälsta

Le refuge le plus sûr pour les palmipèdes[1] de la région du Mälaren est la baie de Hjälsta. Les rives y sont plates et l'eau peu profonde encombrée de touffes de roseaux.

À peine Akka avait-elle reçu le message du peuple des cygnes réclamant son aide, qu'elle s'était hâtée de gagner Hjälsta. Elle y arriva un soir en compagnie de son troupeau et comprit immédiatement que les choses allaient mal. Les gros nids de cygnes, arrachés de leurs touffes protectrices, dérivaient sur la baie, emportés par le vent. Certains étaient déjà brisés, d'autres avaient basculé et les œufs déposés dedans scintillaient maintenant au fond de l'eau.

---

1. Oiseaux palmés (canards, cygnes...).

Quand Akka descendit sur la baie, tous les cygnes étaient rassemblés sur la rive est, là où ils étaient le mieux protégés du vent. Bien qu'ayant énormément souffert de l'inondation, ils restaient trop fiers pour afficher leur douleur. Aucun d'entre eux n'avait songé à implorer l'aide d'un étranger et, surtout, ne s'imaginait que si les oies sauvages étaient venues ici c'était à cause de Smirre.

Ils étaient plusieurs centaines, disposés par ordre de préséance : les jeunes inexpérimentés à l'extérieur du cercle et les vieux sages à l'intérieur. Au centre se trouvaient Clair-de-Jour et Blanche-Paix, la reine des cygnes, leur aînée à tous et qui considérait la plupart d'entre eux comme ses descendants.

Clair-de-Jour et Blanche-Paix pouvaient parler du temps où nul cygne de leur souche ne vivait à l'état sauvage en Suède, où tous ne vivaient qu'à l'état domestique sur les douves des châteaux et les mares. Mais un jour un couple de cygnes avait fui la captivité et s'était envolé pour la baie de Hjälsta, et de ce couple descendaient tous ceux qui la peuplaient aujourd'hui.

Les oies sauvages avaient atterri sur la rive ouest mais, quand Akka vit où se trouvaient les cygnes, elle nagea vers eux sans tarder. Elle s'étonnait certes qu'ils l'eussent fait venir, mais elle considérait cela comme un honneur et pas une seule fois elle n'avait hésité à leur prêter assistance.

« Allons ! dit-elle aux oies. Nagez vite et bien. Et

ne regardez pas ces cygnes comme si vous n'aviez jamais rien vu d'aussi beau, et surtout ne prêtez pas attention à ce qu'ils vous diront. »

Ce n'était pas la première fois qu'Akka rendait visite à ce couple de cygnes mais elle n'aimait pas nager parmi ceux de leur entourage. Jamais elle ne se sentait aussi petite et grise que lorsqu'elle se trouvait chez ces cygnes que parfois elle avait entendus marmonner les mots de « crasseuses » ou de « gueuses ». Il valait mieux ne pas y prêter attention.

Cette fois-ci, néanmoins, tout sembla se passer étonnamment bien. Les cygnes s'écartèrent tranquillement et les oies sauvages remontèrent en nageant cette sorte d'allée bordée de grands oiseaux blancs et brillants. Le spectacle de ces oiseaux gonflant leurs ailes comme des voiles pour avoir belle allure devant les étrangers était superbe. Ils gardaient leurs remarques pour eux et Akka était réellement surprise. « Clair-de-Jour a dû se rendre compte de leurs mauvaises manières et leur a ordonné de se comporter poliment », pensa l'oie meneuse.

Mais les cygnes aperçurent le jars blanc qui nageait en queue de la longue file d'oies. Un murmure d'étonnement et de dépit parcourut la bande et, tout à coup, c'en fut fini du comportement distingué.

« Que veut dire ceci ? s'exclama l'un d'eux. Les oies sauvages ont-elles l'intention de porter des plumes blanches ?

— Qu'elles n'aillent surtout pas s'imaginer

qu'elles deviendront des cygnes pour autant ! »
reprirent en chœur des cris de toutes parts.

Ils se mirent alors à claironner de leurs belles voix
puissantes et il aurait été impossible de leur expliquer qu'il s'agissait d'un jars domestique ayant suivi
les oies sauvages.

Le grand blanc se souvint qu'Akka leur avait
ordonné de ne pas prêter attention à ce qu'ils allaient
entendre. Il garda le silence et nagea aussi vite que
possible, mais les cygnes devenaient de plus en plus
insolents.

« C'est quoi, cette grenouille sur son dos ?
demanda l'un.

— Elles doivent s'imaginer que parce qu'elle est
habillée en être humain nous ne verrons pas que c'est
une grenouille ! »

Akka venait à peine d'arriver auprès de Clair-
de-Jour et s'apprêtait à lui demander quel genre
d'aide il attendait d'elle, quand le roi remarqua l'agitation parmi les cygnes.

« Que se passe-t-il donc ? Ne leur ai-je pas enjoint[1]
de rester polis à l'égard des étrangers ? » dit-il d'un
air fâché.

Blanche-Paix, la reine des cygnes, partit à la nage
pour morigéner[2] son peuple, et Clair-de-Jour se

1. Donné l'ordre.
2. Gronder.

tourna à nouveau vers Akka. C'est alors que Blanche-Paix revint, apparemment bouleversée.

« Ne peux-tu donc les faire taire ? lui cria le roi des cygnes.

— Il y a là-bas une oie sauvage blanche, répondit Blanche-Paix. C'est un spectacle honteux. Je comprends qu'ils soient en colère.

— Une oie sauvage blanche ! s'exclama Clair-de-Jour. Mais c'est absurde. Cela ne peut exister. Tu dois faire erreur. »

Le vieux roi des cygnes, plus fort que tous les autres, se mit alors vivement en mouvement, il écarta ses sujets[1] et se fraya un passage jusqu'au blanc. Mais, quand il vit qu'effectivement nageait là une oie blanche, il s'emporta autant que les autres. Il cracha de fureur, se précipita droit sur Martin jars et lui arracha quelques plumes.

« Je vais t'apprendre moi, espèce d'oie sauvage, ce qu'il en coûte de venir ici ainsi attifée[2] ! gronda-t-il.

— Envole-toi, Martin, envole-toi, envole-toi ! » cria Akka, car elle comprenait que les cygnes allaient arracher au grand blanc jusqu'à sa dernière plume.

Mais le jars était coincé à tel point entre les cygnes qu'il n'avait pas assez d'espace pour déployer ses ailes. Et de toutes parts les cygnes tendaient le bec pour lui arracher les plumes.

---

1. Les hommes et les femmes gouvernés par un roi.
2. Avec un tel plumage.

Martin jars se défendit en mordant et en portant des coups de toutes ses forces, tandis que les autres oies engageaient elles aussi le combat contre les cygnes. Mais l'issue de celui-ci n'aurait fait aucun doute si les oies n'avaient pas reçu une aide tout à fait inopinée[1].

Un rouge-queue, en effet, avait vu que les oies étaient en mauvaise posture et, sans tarder, il avait lancé l'appel aigu que les petits oiseaux ont coutume de pousser quand il faut chasser un épervier ou un faucon. À peine cet appel avait-il résonné trois fois que tous les petits oiseaux de la région se précipitèrent vers la baie de Hjälsta comme des flèches, à coups de leurs petites ailes vives, en une grande volée bruyante.

Et ces pauvres petits tout faibles se jetèrent sur les cygnes. Ils pépièrent dans leurs oreilles, leur voilèrent la vue de leurs ailes, ils les étourdirent de battements d'ailes, et ils les décontenancèrent en criant :

« Honte à vous, cygnes ! Honte à vous ! Honte à vous ! »

L'attaque des petits oiseaux ne dura que quelques instants mais, quand ils furent partis et que les cygnes retrouvèrent leurs esprits, ce fut pour s'apercevoir que les oies sauvages s'étaient envolées et avaient gagné l'autre côté de la baie.

---

1. Inattendue.

Le nouveau chien de garde

Le seul avantage du caractère des cygnes fut que, lorsqu'ils virent s'échapper les oies sauvages, leur fierté les empêcha de les poursuivre. Elles purent donc en toute tranquillité s'installer pour la nuit sur une touffe de roseaux.

Mais Nils Holgersson, lui, avait beaucoup trop faim pour pouvoir s'endormir. « Il faut absolument que je puisse entrer dans une maison et trouver quelque chose à manger », pensa-t-il.

Considérant le nombre d'objets de diverses natures qui flottaient alors sur le lac, il ne fut pas difficile pour quelqu'un comme lui de trouver une embarcation. Il n'hésita pas, sauta sur un morceau de planche qui flottait parmi les roseaux, repêcha un bâton et l'utilisa comme perche pour gagner la rive.

À peine avait-il débarqué qu'il entendit un clapotement non loin de lui. Il s'immobilisa et vit alors deux choses : tout d'abord, à quelques mètres de lui, une femelle cygne qui dormait dans son grand nid puis, un peu plus loin, un renard qui avait déjà les pattes dans l'eau et s'avançait vers le nid.

« Hé, hé, hé ! Debout ! Debout ! » cria le garçon en frappant l'eau avec son bâton.

La femelle cygne se redressa, mais l'animal renonça à cette proie et fonça sur le garçon.

Poucet vit le renard arriver et se lança sur la terre ferme. Nulle part il ne voyait d'arbre dans lequel grimper ni de trou pour se cacher. Il ne lui restait plus qu'à courir.

Non loin de la rive du lac se trouvaient quelques petites fermettes dont les vitres étaient éclairées. Le garçon, bien sûr, se dirigea vers elles, mais quasiment certain que, le temps d'y arriver, le renard l'aurait rattrapé plusieurs fois.

Un moment, le renard fut si près de lui que l'animal s'estimait sûr de sa capture, mais le garçon se jeta brusquement de côté et repartit vers la baie. Pour faire demi-tour le renard perdit quelques secondes que le garçon mit à profit pour courir près de quelques hommes qui avaient passé toute la journée et la soirée au bord de l'eau à essayer de sauver des biens à la dérive et qui, maintenant, remontaient chez eux. « Le renard n'osera certainement pas s'approcher des hommes », pensa-t-il.

Mais bientôt il entendit les pas furtifs du renard. L'animal se disait probablement que les hommes le prenaient pour un chien car il vint tout près d'eux.

« Quel est ce chien qui nous suit ? dit alors l'un des hommes. Il s'approche comme s'il voulait mordre. »

L'autre s'arrêta et se retourna.

« Allez, file ! Qu'est-ce que tu fais ici ? » dit-il en donnant au renard un coup de pied qui l'obligea à passer de l'autre côté de la route.

Puis le renard resta à quelques pas d'écart, mais sans cesser de les suivre.

Les hommes furent bientôt aux fermettes. Le garçon avait tout d'abord envisagé d'entrer avec eux mais, en arrivant sur le seuil, il vit un grand et beau chien de garde à long poil sortir de sa niche et venir saluer son maître. Alors le garçon changea vite d'avis et décida de rester dehors.

« Dis-moi, chien de garde ! dit le garçon à voix basse dès que les hommes eurent refermé la porte. J'aimerais savoir si tu veux m'aider à capturer un renard cette nuit. »

Le chien de garde avait la vue basse et de rester attaché l'avait rendu susceptible et coléreux.

« Moi, capturer un renard ? aboya-t-il avec rage. Qui es-tu pour venir ainsi te moquer de moi ? Approche un peu et je t'apprendrai ce qu'il en coûte de se moquer de moi !

— Ne crois surtout pas que j'aie peur de me montrer, dit le garçon en courant jusqu'au chien. Je suis celui qu'on appelle Poucet et qui voyage avec les oies sauvages. N'as-tu pas entendu parler de moi ?

— Il me semble que les moineaux ont gazouillé quelquefois à ce propos, dit le chien. On dit que tu as accompli de grandes choses pour quelqu'un d'aussi petit.

— Jusqu'à maintenant, ça ne s'est pas trop mal passé, dit le garçon. Mais j'ai bien peur que ce soit la fin, maintenant, si tu ne m'aides pas. Un renard est sur mes talons et il me guette de derrière le coin de la maison.

— Oui, je sens même son odeur, dit le chien de garde. On en sera bientôt débarrassés. »

Et, sur ce, le chien de garde se précipita aussi loin que la chaîne le lui permettait et aboya et jappa un bon moment.

« Maintenant, tu peux être sûr qu'il ne se montrera plus de la nuit, dit le chien.

— Il faut plus que des aboiements pour effrayer ce renard-là, dit le garçon. Entre avec moi dans ta niche pour que le renard ne puisse pas nous entendre. Et je vais t'expliquer comment il faudra faire. »

Un moment plus tard, le renard pointa son museau derrière le coin de la maison et, voyant que tout était calme, il entra lentement dans la cour. Il flaira que le garçon se trouvait dans la niche et se posta à distance convenable en essayant d'imaginer un moyen pour l'en faire sortir. Soudain, le chien de garde passa la tête et gronda :

« Va-t'en ! Sinon je sors t'attraper.

— Ce n'est pas toi qui vas me faire décamper d'ici, dit le renard.

— Va-t'en ! dit une nouvelle fois le chien d'un ton menaçant. Sans quoi tu auras entrepris cette nuit ta dernière chasse ! »

Mais le renard se contenta de ricaner sans bouger d'un poil.

« Je connais bien la longueur de ta chaîne, dit-il.

— Je t'aurai averti deux fois, dit le chien en sortant de sa niche. Maintenant, tu n'as à t'en prendre qu'à toi-même ! »

Ce disant, il se jeta d'un bond sur le renard qu'il atteignit sans la moindre difficulté car il était détaché, puisque le garçon avait défait son collier.

Suivirent quelques instants de lutte mais qui fut vite réglée. Le chien finit vainqueur, le renard restait au sol, n'osant pas bouger.

« Oui, reste tranquille maintenant ! dit le chien. Sinon je t'étrangle entre mes mâchoires. »

Il saisit le renard par la nuque et le traîna vers sa niche où il retrouva le garçon qui, sans tarder, amena la chaîne et serra doublement le collier autour du cou du renard qui, durant toute l'opération, demeura bloqué et incapable de faire un mouvement.

« Maintenant, mon cher Smirre, j'espère que tu sauras faire un bon chien de garde ! » lança le garçon lorsqu'il eut terminé.

17

Douce-Plume

Vendredi 6 mai.

Aucune créature ne pouvait être plus douce et plus gentille que Douce-Plume, la petite oie cendrée. Toutes les oies sauvages l'aimaient et le jars blanc se serait tué pour elle. Quand Douce-Plume demandait quelque chose, Akka elle-même ne savait refuser.

Dès que Douce-Plume arriva au Mälaren, elle commença à reconnaître le paysage. La mer était proche et là-bas, dans l'archipel, ses parents et frères et sœurs vivaient sur un petit îlot. Elle pria les oies sauvages de passer chez elle avant de poursuivre le voyage vers le nord, afin de montrer aux siens qu'elle était encore en vie, ce qui ne manquerait pas de les réjouir.

Elle insista tant qu'elle finit par arriver à ses fins, bien que les oies sauvages sentissent qu'elles étaient en retard et qu'elles auraient mieux fait de voler droit sur le nord. Un tel détour dans l'archipel ne devait cependant pas retarder leur voyage de plus d'une journée.

Douce-Plume avait deux sœurs : Belle-Aile et Œil-d'Or. C'étaient des oiseaux robustes et intelligents mais dont le plumage n'était pas aussi doux et brillant que celui de Douce-Plume et qui ne possédaient pas son caractère affable[1] et charmant. Depuis leur plus jeune âge, quand elles n'étaient encore que des oisillons jaunes, leurs parents avaient nettement laissé voir qu'ils leur préféraient Douce-Plume, et les deux sœurs, bien entendu, la haïssaient.

Quand les oies sauvages se posèrent sur l'écueil[2], Belle-Aile et Œil-d'Or étaient en train de paître sur un petit carré vert légèrement à l'écart de la grève et elles aperçurent tout de suite les étrangers.

« Regarde, Œil-d'Or, ma sœur, ces merveilleuses oies sauvages qui se posent sur notre îlot ! dit Belle-Aile. Rarement j'ai vu oiseaux d'aussi belle allure. Et regarde ce jars blanc qui les accompagne ! As-tu

---

1. Aimable.
2. Rocher.

jamais vu plus bel oiseau ? On le prendrait presque pour un cygne. »

Œil-d'Or fut de l'avis de sa sœur, ces étrangers paraissaient très distingués. Mais soudain elle s'interrompit pour crier :

« Belle-Aile ! Belle-Aile, ma sœur ! Ne vois-tu pas qui les accompagne ? »

Belle-Aile découvrit très vite Douce-Plume et fut si stupéfaite qu'un long moment elle resta le bec ouvert, ne sachant que siffler.

« C'est impossible que ce soit elle. Comment a-t-elle fait pour entrer chez des gens comme ça ? Ne l'avions-nous pas laissée sur Öland pour qu'elle meure de faim ?

— Le pire, c'est qu'elle va nous dénoncer à père et mère et leur raconter que nous lui avons sauté si fort dessus que son aile s'est déboîtée, dit Œil-d'Or. Et nous risquons fort d'être chassées de l'îlot.

— Nous n'avons que des ennuis à attendre du retour de cette sale enfant gâtée, dit Belle-Aile. Mais je crois plus sage de commencer par prétendre que nous sommes ravies de son retour. Elle est si bête qu'elle n'a peut-être pas remarqué que nous l'avons poussée exprès. »

Les parents de Douce-Plume avaient habité cet îlot plus longtemps qu'aucun autre et ils conseillaient et aidaient toujours les nouveaux venus. Eux aussi avaient vu arriver les oies sauvages mais sans reconnaître Douce-Plume parmi elles.

213

« C'est curieux de voir des oies sauvages se poser ici, dit le père oie. Voilà un fort joli troupeau et leur vol suffisait à le révéler. Mais il ne sera pas facile de trouver des pâturages pour tant d'oies.

— L'île n'est pas encore peuplée au point de ne pouvoir nourrir ceux qui arrivent », dit sa femme, dont le caractère était aussi doux et généreux que celui de Douce-Plume.

Quand Akka approcha, les parents de Douce-Plume s'avancèrent à sa rencontre et ils s'apprêtaient à lui souhaiter la bienvenue sur l'île lorsque Douce-Plume s'envola de sa place en bout de file et atterrit devant ses parents.

« Père ! Mère ! Je suis là maintenant ! Ne reconnaissez-vous pas Douce-Plume ? » cria-t-elle.

Les vieux parents n'en crurent d'abord pas leurs yeux mais ensuite, reconnaissant leur fille, ils furent évidemment submergés de bonheur.

Tandis que les oies sauvages, et Martin jars et Douce-Plume elle-même, caquetaient à qui mieux mieux pour raconter le sauvetage de Douce-Plume, Belle-Aile et Œil-d'Or arrivèrent en courant. De loin elles crièrent la bienvenue à leur sœur et se montrèrent si heureuses de son retour que celle-ci en fut tout émue.

Les oies sauvages appréciant le récif, il fut décidé qu'elles n'en repartiraient que le lendemain matin. Au bout d'un moment, les deux sœurs invitèrent Douce-Plume à les suivre pour voir les endroits où elles allaient établir leurs nids. Elle les suivit et vit qu'elles avaient su trouver des coins bien cachés et abrités.

« Et toi, Douce-Plume, où vas-tu t'installer ? demandèrent-elles.

— Moi ? dit Douce-Plume. Je n'ai pas l'intention de rester sur ce récif. Je compte suivre les oies sauvages en Laponie.

— Quel dommage que tu nous quittes ! dirent les sœurs.

— Je serais bien restée plus longtemps avec nos parents et vous, dit Douce-Plume. Mais j'ai déjà promis au jars blanc...

— Quoi ? cria Belle-Aile. Il est pour toi, ce beau jars ! Ça, c'est... »

Mais à ce moment Œil-d'Or la bouscula durement et elle s'interrompit.

Tout l'après-midi, les deux méchantes sœurs discutèrent beaucoup, furieuses de savoir que Douce-Plume avait un si beau prétendant. Elles-mêmes étaient courtisées, mais seulement par des oies cendrées ordinaires et, depuis qu'elles avaient vu Martin jars, elles les trouvaient si laids qu'elles refusaient même de les regarder.

« Je vais en mourir de dépit, dit Œil-d'Or. Si au moins ç'avait été toi l'élue, Belle-Aile !

— Je préférerais le savoir mort que de passer l'été ici à me dire que Douce-Plume est en compagnie de ce jars blanc », dit Belle-Aile.

Les sœurs continuèrent néanmoins de se montrer très aimables et, dans l'après-midi, Œil-d'Or emmena Douce-Plume voir celui qu'elle allait épouser.

« Il n'est pas aussi beau que celui qui t'appartiendra, dit Œil-d'Or. Mais en revanche on peut être sûr qu'il n'est que ce qu'il est.

— Que veux-tu dire, Œil-d'Or ? » dit Douce-Plume.

Pour commencer, Œil-d'Or refusa d'expliquer ce qu'elle avait sous-entendu mais elle finit par confier qu'elle-même et Belle-Aile s'étaient demandé si ce jars blanc était normal.

« Jamais nous n'avons vu une oie blanche suivre les oies sauvages, dit la sœur. Et nous nous demandons s'il n'est pas ensorcelé.

— Vous êtes bien bêtes ! Il est une oie domestique tout à fait normale ! dit Douce-Plume indignée.

— Mais il est accompagné de quelqu'un qui est ensorcelé, dit Œil-d'Or. Alors il peut bien l'être aussi lui-même. Ne crains-tu pas qu'il soit un cormoran noir ? »

Elle sut si bien choisir ses mots qu'elle finit par inquiéter Douce-Plume.

« Tu plaisantes, dit la petite oie cendrée. Tu cherches seulement à me faire peur.

— Je ne veux que ton bien, Douce-Plume, dit Œil-d'Or. Mais je n'imagine rien de pire que de te voir t'envoler avec un cormoran noir. Laisse-moi te dire quelque chose. Essaie de lui faire manger quelques-unes des racines que j'ai ramassées ici ! S'il est ensorcelé, nous le saurons immédiatement. S'il ne l'est pas, il restera comme il est. »

Le garçon était assis parmi les oies et écoutait Akka et le vieux père oie discuter ensemble, lorsque Douce-Plume arriva.

« Poucet ! Poucet ! criait-elle. Martin jars est en train de mourir ! Je l'ai tué !

— Laisse-moi monter sur ton dos, Douce-Plume, et mène-moi près de lui ! » cria le garçon.

Ils partirent, suivis par Akka et les autres oies sauvages. Quand ils arrivèrent près du jars, celui-ci était couché par terre, incapable de parler, il ne faisait que haleter[1].

« Chatouille-le sous la gorge et tape-lui dans le dos ! » dit Akka.

Le garçon obtempéra[2] et tout de suite le grand blanc toussa et recracha une longue racine restée coincée dans sa gorge.

« As-tu mangé de celles-ci ? demanda Akka en montrant quelques racines par terre.

— Oui, répondit le jars.

— Alors, tu as de la chance qu'elle se soit coincée dans ta gorge, dit Akka. Ces plantes sont véné-

1. Souffler fort.
2. Obéit.

neuses et, si tu les avais avalées, tu serais certainement mort.

— C'est Douce-Plume qui m'a demandé d'en manger, dit le jars.

— C'est ma sœur qui me les a données, dit Douce-Plume en racontant tout.

— Tu devrais te méfier de tes sœurs, Douce-Plume, dit Akka. Car elles ne veulent pas ton bien. »

Mais Douce-Plume était ainsi faite qu'elle ne pouvait croire du mal de quelqu'un et, lorsqu'un peu plus tard Belle-Aile arriva pour lui montrer son prétendant, elle la suivit sans tarder.

« Certes, il n'est pas aussi beau que celui qui sera tien, dit la sœur. Mais il est d'autant plus brave et intrépide.

— Comment le sais-tu ? demanda Douce-Plume.

— Eh bien, depuis quelque temps les mouettes et les canards de ce récif ne cessent de se lamenter, car chaque matin au lever du jour un grand rapace arrive et s'empare de l'un d'eux.

— Veux-tu que je demande à Martin jars qu'il s'attaque à l'oiseau étranger ? dit Douce-Plume.

— Oui, j'aimerais beaucoup, dit Belle-Aile. Tu ne pourrais pas me rendre plus grand service. »

Le lendemain matin, le jars se réveilla avant le lever du soleil et alla se poster au sommet du récif pour guetter alentour. Bientôt, il vit arriver de l'ouest un grand oiseau sombre. Ses ailes étaient immenses et l'on comprenait sans mal qu'il s'agissait d'un aigle.

Le jars ne s'était pas attendu à un adversaire plus dangereux qu'une chouette et maintenant il comprenait qu'il ne sortirait pas vivant de l'affrontement. Mais il ne lui vint pas à l'esprit d'éviter le combat contre un oiseau beaucoup plus fort que lui.

L'aigle descendit en flèche et saisit une mouette dans ses serres. Avant qu'il ait eu le temps de s'envoler, Martin jars se précipita.

« Lâche-la ! cria-t-il. Et ne reviens plus jamais ici, sinon tu auras affaire à moi !

— Tu es complètement fou ! dit l'aigle. Tu as de la chance que je ne m'en prenne jamais aux oies. Sinon, j'en aurais vite terminé avec toi. »

Mais le jars, s'imaginant que ce n'était que pure vantardise, se précipita sur l'aigle avec fureur, le mordit à la gorge et le frappa de ses ailes. L'aigle n'admit évidemment pas cela et se mit à lutter, mais sans y mettre toutes ses forces.

Le garçon était en train de dormir à côté d'Akka et des oies sauvages quand il entendit Douce-Plume crier :

« Poucet ! Poucet ! Martin jars est en train de se faire tuer par un aigle !

— Laisse-moi monter sur ton dos, Douce-Plume, et mène-moi près de lui ! » dit le garçon.

Quand il arriva, Martin jars était en sang et sérieusement griffé, mais il luttait toujours. Le garçon ne pouvait évidemment pas combattre l'aigle, et il ne lui restait plus qu'à appeler à l'aide.

« Vite, Douce-Plume ! Fais venir Akka et ses oies ! » cria-t-il.

Mais à peine eut-il crié cela que l'aigle cessa de se battre.

« Qui parle d'Akka ? demanda-t-il et, lorsqu'il vit Poucet et entendit les caquètements des oies sauvages, il déploya ses ailes. Dis à Akka que jamais je ne me serais attendu à la rencontrer, elle ou quelqu'un de son troupeau ici, sur la mer ! » dit-il avant de s'éloigner d'un beau vol rapide.

Les oies sauvages avaient l'intention de quitter le récif de bonne heure mais désiraient quand même paître un moment. Tandis qu'elles mangeaient, un milouin[1] s'approcha de Douce-Plume.

« J'ai un message de la part de tes sœurs, dit-il. Elles n'osent pas se montrer parmi les oies sauvages, mais elles m'ont demandé de te rappeler que tu ne devrais pas quitter l'îlot avant d'être allée voir le vieux pêcheur.

— Oh oui, c'est vrai », dit Douce-Plume.

Mais elle avait vécu de telles frayeurs qu'elle ne voulut pas s'y rendre seule et demanda au jars et à Poucet de la suivre à la cabane.

La porte était ouverte. Douce-Plume entra mais ses deux compagnons restèrent dehors. Juste après, ils entendirent Akka donner le signal du départ et ils

---

1. Canard sauvage.

appelèrent Douce-Plume. L'oie cendrée sortit de la cabane et s'envola avec les oies sauvages.

Ils avaient déjà survolé une bonne partie de l'archipel lorsque le garçon commença à s'étonner de l'oie cendrée qui les accompagnait. Habituellement, Douce-Plume volait sans peine et silencieusement. Celle-ci peinait avec de lourds battements d'ailes bruyants.

« Akka, fais demi-tour ! Akka, fais demi-tour ! cria-t-il vivement. Nous avons été trompés ! C'est Belle-Aile qui vole avec nous ! »

À peine eut-il dit cela que l'oie cendrée poussa un cri si laid et si rageur que tout le monde comprit qui elle était. Akka et les autres se tournèrent vers elle, mais l'oie cendrée ne s'enfuit pas immédiatement. Elle se précipita vers le grand blanc, saisit Poucet dans son bec et s'envola avec lui.

Ce fut une poursuite acharnée au-dessus de la mer et de l'archipel. Belle-Aile fuyait rapidement mais les oies sauvages la talonnaient[1], et elle n'avait aucune chance de leur échapper.

Soudain, elles virent une petite fumée blanche monter sur la mer, et elles entendirent la détonation d'un coup de fusil. Dans leur fougue[2], elles n'avaient pas remarqué qu'elles volaient au-dessus d'une barque où se trouvait un pêcheur solitaire.

---

1. Suivaient de près.
2. Élan, enthousiasme.

Le coup de feu n'atteignit cependant personne mais là, juste au-dessus de la barque, Belle-Aile ouvrit le bec et laissa Poucet tomber vers la mer.

18

Stockholm

Samedi 7 mai.

Il y a quelques années de cela à Skansen – ce vaste
parc proche de Stockholm où l'on a rassemblé tant
de curiosités – vivait un petit bonhomme nommé
Klement Larsson. Originaire du Hälsingland, il était
venu à Skansen pour jouer sur son violon des danses
folkloriques et d'autres mélodies d'autrefois. Il se
produisait bien sûr surtout dans l'après-midi et, dans
la matinée, travaillait comme gardien d'une des belles
maisons de fermes qu'on avait fait venir à Skansen
de tous les coins du pays.

Au début, Klement s'était dit que ses vieux jours
se passaient mieux que jamais il n'aurait pu l'espé-

rer mais, au bout de quelque temps, il commença à s'ennuyer terriblement, surtout durant ses heures de gardiennage. Tout allait bien quand des gens venaient visiter la maisonnette, mais parfois Klement restait seul pendant des heures. Alors montait en lui une telle nostalgie de sa province qu'il en venait à se demander s'il ne devait pas démissionner. Il était très pauvre, et il savait que chez lui il serait à la charge de la commune. C'est pourquoi il essayait de tenir le coup le plus longtemps possible, bien que chaque jour il se sentît plus malheureux.

Un bel après-midi au début du mois de mai, Klement qui disposait de quelques heures de liberté était en train de descendre le raidillon de Skansen lorsqu'il rencontra un pêcheur de l'archipel, chargé d'une besace sur l'épaule. C'était un homme jeune et vif, qui venait souvent à Skansen pour vendre des oiseaux de mer qu'il avait réussi à capturer vivants et Klement l'avait déjà rencontré plusieurs fois.

Le pêcheur arrêta Klement pour lui demander si le directeur de Skansen était chez lui. Klement répondit puis s'enquit de ce que le pêcheur avait d'extraordinaire dans son sac.

« Je vais te montrer ce que j'ai, Klement, répondit le pêcheur, pourvu qu'en remerciement tu me conseilles sur le prix que je pourrai en demander. »

Il tendit le sac vers Klement. Celui-ci regarda dedans une fois, puis une autre fois, puis s'écarta vivement de quelques pas.

« Mince alors, Åsbjörn ! dit-il. Comment as-tu trouvé ça ? »

Il se souvenait que, lorsqu'il était enfant, sa mère lui avait souvent parlé du petit peuple qui vivait sous les planchers. Il ne fallait pas qu'il crie, ni qu'il fasse des bêtises, cela afin de ne pas irriter le petit peuple. Devenu adulte, il s'était dit que sa mère avait inventé cette histoire de lutins pour le faire tenir tranquille. Mais ce ne devait pas être une invention de sa mère car là, dans le sac d'Åsbjörn, il y en avait un du petit peuple.

« Raconte-moi, Åsbjörn, comment tu l'as trouvé, dit-il.

— Ne va pas t'imaginer que je le guettais, dit Åsbjörn. C'est lui qui est venu à moi. J'étais sorti en mer de bonne heure ce matin, et j'avais emmené mon fusil avec moi. J'étais à peine parti que j'ai vu quelques oies sauvages qui venaient de l'est et qui criaient comme des folles. Je leur ai tiré dessus mais je les ai toutes ratées. Mais voilà qu'au lieu d'une oie celui-là est tombé dans l'eau, et si près de ma barque que je n'ai eu qu'à tendre la main pour l'attraper.

— Pourvu que tu ne l'aies pas tué, Åsbjörn.

— Mais non, il est sain et sauf. Mais quand il est tombé, il n'avait pas tous ses esprits, alors je lui ai attaché les mains et les pieds avec des bouts de ficelle, pour l'empêcher de s'enfuir. Parce que je me suis dit : ça c'est quelque chose pour Skansen ! »

Une angoisse étrange étreignit Klement quand il

entendit ce récit du pêcheur. Tout ce qu'il avait entendu durant sa jeunesse sur le petit peuple, sur sa manière de se venger des ennemis et de remercier les amis, resurgit dans sa tête. Cela n'avait jamais porté bonheur à personne d'essayer d'en garder un en captivité.

« Tu aurais dû le relâcher tout de suite, Åsbjörn, dit-il.

— C'est ce que j'ai bien failli faire, dit le pêcheur. Ma femme m'a demandé de le libérer, mais je me disais déjà que je l'amènerais ici, à Skansen. Alors, j'ai mis une des poupées des enfants derrière la fenêtre, j'ai caché ce lutin au fond de mon sac et je suis parti. Et les oiseaux ont dû croire que c'était lui qui était à la fenêtre, parce qu'ils m'ont laissé partir tranquille.

— Il ne parle pas ? demanda Klement.

— Si, au début il a essayé d'appeler les oiseaux, mais ça ne me plaisait pas, alors je l'ai bâillonné.

— Mais enfin, Åsbjörn, pourquoi tu lui fais ça ? Tu ne comprends donc pas qu'il s'agit d'un être surnaturel ?

— Je me fiche de savoir ce qu'il est, dit calmement Åsbjörn. Je laisse à d'autres le soin de le dire. Moi, je serai simplement content si on m'en donne un bon prix. Justement, Klement, combien tu penses que le directeur de Skansen voudra bien me donner ?

— Je ne sais pas combien le docteur là-haut voudra te donner, Åsbjörn, dit-il. Mais si tu veux bien me le laisser, je t'en offre vingt couronnes. »

Quand il entendit prononcer cette somme, Åsbjörn, sidéré, dévisagea le ménétrier[1] en se disant que Klement devait s'imaginer le lutin détenteur d'un pouvoir magique qui pourrait lui servir. Rien ne prouvait que le directeur penserait ainsi et serait prêt à payer un prix aussi élevé. Il accepta donc l'offre de Klement.

Le ménétrier fourra son achat dans une de ses larges poches, retourna à Skansen et entra dans un des chalets d'alpage, vide autant de visiteurs que de gardiens. Il tira la porte derrière lui, sortit le lutin qui avait toujours les pieds et les poings liés et la bouche bâillonnée, et il le posa sur un banc.

« Maintenant, toi, écoute bien ce que je vais te dire ! dit Klement. Je sais parfaitement que ceux de ton espèce n'aiment pas être vus par les humains et préfèrent vaquer à leurs petites affaires. C'est pourquoi j'ai l'intention de te libérer, mais en échange de la promesse que tu resteras dans ce jardin jusqu'au jour où je te permettrai de le quitter. Si tu acceptes cela, hoche trois fois la tête ! »

Plein d'espoir, Klement regarda le lutin, mais celui-ci resta immobile.

« Ce ne sera pas trop pénible pour toi, dit Klement. Chaque jour, je mettrai de côté de la nourriture pour toi, et je crois que tu auras tant à faire ici que le temps ne te semblera pas long. Mais ne t'en

---

1. Musicien.

va pas ailleurs sans que je t'en aie donné la permission. Mettons-nous d'accord sur un signal. Tant que je mettrai ta nourriture dans un bol blanc, tu resteras. Quand je la mettrai dans un bol bleu, tu pourras partir. »

Une nouvelle fois Klement se tut dans l'attente d'un signe du lutin, mais celui-ci ne bougea pas.

« Ah, c'est comme ça ! dit Klement. Alors je ne vois pas d'autre solution que de te montrer au directeur de l'endroit. Ensuite, ils te mettront dans une cage en verre et tous les habitants de la grande ville de Stockholm viendront te regarder. »

L'argument, cette fois, parut effrayer le lutin, car à peine l'eut-il entendu qu'il fit le signe.

« Tu as raison », dit Klement qui prit son couteau et coupa la ficelle qui entravait les mains du lutin.

Puis il se dirigea vivement vers la porte.

Avant de penser à quoi que ce soit d'autre, le garçon défit les liens qui attachaient ses chevilles et retira son bâillon. Lorsque ensuite il se tourna vers Klement Larsson pour le remercier, celui-ci était déjà parti.

À peine Klement avait-il passé la porte qu'il rencontra un vieux monsieur, grand et plein d'allure, qui paraissait se diriger vers un joli point de vue tout proche. Klement ne se souvenait pas d'avoir déjà vu ce vieux monsieur, mais ce dernier avait dû le remarquer un jour qu'il jouait du violon, car il s'arrêta et entama la conversation.

Une si forte amabilité émanait du vieil homme que Klement prit son courage à deux mains et lui raconta à quel point la nostalgie de son pays le faisait souffrir.

« Comment ? dit le beau vieux monsieur. Tu languis, alors que tu te trouves à Stockholm ! Mais c'est inimaginable ! Tu n'as donc jamais entendu raconter l'histoire de la fondation de Stockholm, Klement ? Viens t'asseoir avec moi sur le banc là-bas, et je te parlerai un peu de Stockholm ! »

Lorsqu'ils furent installés sur le banc, le vieux monsieur commença par contempler Stockholm qui s'étendait à ses pieds dans toute sa splendeur, et il respira profondément, comme s'il avait voulu emmagasiner toute la beauté de la région. Puis il se tourna vers le ménétrier.

« Regarde maintenant, Klement, dit-il en dessinant du bout de sa canne une petite carte sur le sable fin de l'allée devant eux tout en parlant. Voici l'Uppland, et de là un promontoire déformé par un tas de baies s'avance vers le sud. Et là, c'est le Sörmland qui lance un autre promontoire tout aussi découpé vers le nord. Et ici, de l'ouest, s'avance un lac bourré d'îles, c'est le Mälaren. Et, ici, une autre étendue d'eau s'avance de l'est, et qui réussit à peine à s'infiltrer entre les îles et les écueils, c'est la Baltique. Et ici, là où l'Uppland rencontre le Sörmland et où le Mälaren rencontre la Baltique, court un petit fleuve, parsemé de quatre îlots qui divisent le fleuve en plusieurs bras, dont l'un se nomme Norrström, mais s'appelait autrefois Stocksund.

« Au début, ces îlots couverts de feuillus ressemblaient à tous ceux qui fourmillent encore aujourd'hui dans le Mälaren, et pendant longtemps ils restèrent inhabités.

« Un jour, un pêcheur qui avait mené son bateau vers l'intérieur du Mälaren fit une telle pêche qu'il en oublia de revenir à temps. Il n'avait pas dépassé les quatre îlots quand la nuit noire tomba. Il estima donc plus sage d'accoster sur l'un d'eux et d'attendre là que la lune se lève, car il savait qu'elle serait pleine.

« C'était vers la fin de l'été et le temps était encore beau et chaud bien que déjà les soirées fussent plus longues. Le pêcheur hissa sa barque sur la terre ferme, s'allongea à côté, la tête sur une pierre, et il s'endormit. Quand il se réveilla, la lune était levée depuis longtemps ; suspendue juste au-dessus de lui, elle brillait avec tant d'éclat qu'on y voyait comme en plein jour.

« L'homme se leva d'un bond et il allait juste pousser sa barque à l'eau quand il vit une grande quantité de points noirs se bousculer dans les flots. Un important troupeau de phoques se rapprochait à toute vitesse de l'îlot. Lorsqu'il comprit que les phoques avaient l'intention de monter sur la terre ferme, le pêcheur se baissa pour ramasser le harpon qu'il emportait toujours avec lui dans sa barque. Quand il se releva, il ne vit plus de phoques mais, à leur place, les jouvencelles[1] les plus belles se tenaient sur la rive, vêtues d'habits de soie verts qui traînaient par terre et coiffées de diadèmes de perles. Alors le pêcheur comprit qu'il était en présence de ces ondines qui habitaient sur les récifs désertiques loin dans la mer mais qui maintenant avaient revêtu l'apparence de phoques pour pouvoir se rapprocher du continent et s'ébattre au clair de lune sur les îlots verdoyants.

« Tout doucement il déposa son harpon et, quand les demoiselles montèrent sur l'îlot pour y jouer, il se faufila derrière elles et les observa. Il avait entendu dire que les ondines étaient si belles et si douces que personne ne pouvait les regarder sans être séduit par leur beauté et il s'avoua qu'on n'avait pas exagéré.

« Après les avoir regardées un moment danser sous les arbres, il descendit sur la rive, ramassa l'une des apparences de phoque qui traînaient encore là et la cacha sous une pierre. Puis il retourna auprès de sa barque, s'étendit à côté et fit semblant de dormir.

« Bientôt, il vit les jeunes filles redescendre sur la rive et revêtir leur forme de phoque. Les rires et les jeux du début firent bientôt place aux gémissements et aux plaintes parce que l'une d'entre elles n'arrivait pas à retrouver son apparence. Toutes couraient dans

_____
1. Jeunes filles.

tous les sens et l'aidaient à chercher, mais en vain. Puis elles s'aperçurent que le ciel commençait à pâlir et que le jour allait se lever. Alors, ne pouvant rester plus longtemps, elles s'enfuirent toutes à la nage, hormis celle qui n'avait pu reprendre son aspect de phoque et qui resta au bord de l'eau à pleurer.

« Le pêcheur, certes, avait pitié d'elle, mais il s'obligea à rester immobile, jusqu'à ce que le jour fût complètement levé. Alors il se releva et poussa son bateau à l'eau, et fit comme s'il ne l'apercevait que par hasard au moment où il avait déjà saisi les rames. "Qui es-tu ? cria-t-il. Serais-tu naufragée ?" Elle se précipita vers lui et lui demanda s'il avait vu son apparence de phoque, mais le pêcheur fit semblant de ne rien comprendre à ce qu'elle disait. Alors, elle s'assit et pleura à nouveau. "Accompagne-moi jusque chez moi, dit-il, et ma mère s'occupera de toi. Tu ne peux pas rester sur cet îlot où tu ne trouveras ni lit ni pitance." Et il parla si bien qu'il la persuada de le suivre dans sa barque.

« Le pêcheur, tout comme sa mère, fut immensément bon pour la pauvre ondine, et elle paraissait se plaire chez eux. Chaque jour elle était plus heureuse. Elle aidait la vieille dans toutes ses besognes et ressemblait en tous points aux autres filles de l'archipel, à part qu'elle était plus belle. Un jour, le pêcheur lui demanda si elle voulait devenir sa femme et, comme elle n'avait rien contre, elle accepta tout de suite.

« On prépara donc les noces et, quand l'ondine

dut s'habiller en mariée, elle mit la longue robe verte et le diadème de perles brillantes qu'elle avait portés quand le pêcheur l'avait vue la première fois. Mais il n'y avait ni prêtre ni église dans l'archipel à cette époque-là, et le cortège nuptial prit place dans les barques pour remonter le Mälaren et célébrer le mariage dès la première église.

« Le pêcheur avait pris sa mère et la mariée dans sa barque et il naviguait si bien qu'il distança bientôt tous les autres. Quand il passa en vue de l'îlot du Strömmen sur lequel il avait ravi la mariée qui était assise fière et joliment parée à côté de lui, il ne put s'empêcher de sourire tout seul. "Pourquoi souris-tu ?" demanda-t-elle. "Oh, je pense à la nuit où j'ai caché ton apparence de phoque", répondit le pêcheur, car maintenant il se sentait si sûr d'elle qu'il ne pensait plus devoir lui cacher quoi que ce soit. "Que dis-tu ? dit la mariée. Jamais je n'ai possédé d'apparence de phoque !" Elle semblait avoir tout oublié. "Ne te souviens-tu pas de quand tu dansais avec les ondines ?" demanda-t-il. "Je ne comprends pas de quoi tu parles, dit la mariée. Tu as dû faire un rêve étrange cette nuit." "Si je te montrais ton apparence de phoque, tu me croirais, n'est-ce pas ?" dit le pêcheur en tournant brusquement son bateau vers l'îlot. Ils débarquèrent, et il sortit l'apparence de phoque de sous la pierre où il l'avait cachée.

« Mais à peine la mariée vit-elle l'apparence de phoque qu'elle la saisit et la jeta sur sa tête, et celle-ci l'enveloppa comme si elle avait été douée de vie. Et sans perdre une seconde l'ondine se jeta dans le Strömmen.

« Le marié la vit s'éloigner, il courut dans l'eau mais ne put l'atteindre. Désespéré de voir qu'il ne pourrait l'arrêter autrement, il saisit son harpon et le jeta. Il la toucha sans doute mieux qu'il l'avait voulu car la pauvre sirène poussa un cri déchirant et disparut dans les profondeurs.

« Le pêcheur demeura sur la rive, attendant qu'elle reparaisse, mais bientôt il remarqua que l'eau autour de lui prenait une teinte douce. L'eau était d'une beauté que jamais auparavant il n'avait remarquée. Elle scintillait et brillait en rose et blanc, comme la couleur peut jouer à l'intérieur d'un coquillage.

« Et il comprit l'origine de cela. Car, de la même manière que celui qui voit les sirènes les trouve plus belles qu'aucune autre femme, le sang de l'ondine, mêlé à l'eau et baignant les rives, leur conférait maintenant sa beauté, son héritage en somme, pour que tous ceux qui verraient cela soient attirés et se mettent à les aimer ardemment. »

Arrivé à ce point de son récit, le vieux monsieur se tourna vers Klement et le regarda, et Klement en retour hocha la tête avec sérieux, mais il ne dit rien pour ne pas interrompre le récit.

« Et note bien, Klement, poursuivit le vieux monsieur dont le regard s'anima soudain d'une lueur

coquine, que depuis ce temps-là les gens commencèrent à s'installer sur les îlots. Au début, ce ne furent
que des pêcheurs et des paysans, mais d'autres suivirent, jusqu'à ce qu'un beau jour le roi et son jarl[1],
naviguant dans le Strömmen, se mettent à parler de
ces îlots. Ils attachèrent beaucoup d'importance au
fait que tout bateau pénétrant dans le Mälaren était
obligé de passer devant. Et le jarl estima qu'il fallait
mettre ici un verrou qu'on pourrait ouvrir ou fermer
à sa guise, pour laisser naviguer les bateaux de commerce mais repousser les flottes de pirates.

« Et tout cela fut concrétisé, poursuivit le vieux
monsieur en reprenant son dessin du bout de sa
canne dans le sable. Sur le plus grand des îlots, ici,
tu vois, le jarl fit construire une forteresse, dotée d'un
donjon qu'on appela Kärnan. Et les habitants entou-
rèrent l'îlot de murailles, comme ça.

« Ces rives et ces goulets, vois-tu, Klement, attirent
les hommes, et bientôt des gens vinrent de partout,
désireux de s'établir sur ces îlots. Alors ils commencèrent à bâtir une église, qu'on nomma plus tard
Storkyrkan. Elle était située ici, juste à côté de la forteresse, et ici, à l'intérieur des remparts, se trouvaient
les petites maisons construites par les colons. Elles ne
payaient pas de mine, mais à l'époque cela suffisait
pour que l'endroit fût considéré comme ville. Et

---

1. Gouverneur.

cette ville fut appelée Stockholm, ce qui aujourd'hui encore est son nom.

« Des moines vinrent dans ce pays, ils s'appelaient les Frères Gris, et Stockholm leur plut tant qu'ils demandèrent l'autorisation d'y construire un monastère. Le roi leur offrit alors un petit îlot, l'un des plus petits, qui donne sur le Mälaren. Mais d'autres moines arrivèrent, qui s'appelaient les Frères Noirs. Eux aussi demandèrent le droit de construire à Stockholm, et leur monastère fut érigé sur Stadsholm, non loin de la porte sud. Sur ce même îlot, le plus grand de ceux au nord de la ville, fut bâtie une maison du Saint-Esprit ou hôpital ; sur l'autre, des hommes entreprenants construisirent un moulin, et les moines pêchaient sur les écueils proches.

« Et beaucoup d'autres s'installaient aussi à Stockholm, surtout nombre de commerçants et artisans allemands. Ils firent démolir les pitoyables petites maisons qui s'y trouvaient et en construisirent de belles et grandes en pierre.

« Oui, Klement, tu vois à quel point Stockholm savait attirer les hommes.

« Maintenant, Klement, dit le vieux monsieur en se rasseyant sur le banc à côté du ménétrier, je vais te faire parvenir un livre sur Stockholm et tu le liras du début à la fin. Je viens, pour ainsi dire, de poser pour toi les fondations de Stockholm. Continue à étudier par toi-même et tu apprendras comment cette ville a vécu et s'est modifiée. Tu deviendras familier de cette ville, Klement. Elle n'appartient pas qu'aux habitants de Stockholm, mais aussi à toi et à la Suède entière.

« Tu sais, Klement, que des assemblées siègent dans toutes les communes, mais à Stockholm le Riksdag se réunit pour représenter la nation tout entière. Tu sais qu'un juge siège dans chacune des juridictions du pays, mais à Stockholm existe un tribunal qui juge au-dessus de tous les autres. Tu sais que des casernes et des troupes sont établies partout dans le pays, mais c'est à Stockholm que se trouvent ceux qui commandent à toute l'armée. Le pays tout entier est sillonné de voies ferrées mais ce vaste mécanisme est dirigé de Stockholm. C'est ici aussi qu'est installée l'administration des prêtres, des professeurs, des médecins, des baillis et des commissaires. Le centre même du pays se trouve ici, Klement. C'est d'ici que viennent l'argent que tu as en poche et les timbres que nous collons sur nos lettres.

« Mais avant tout, et pour finir, Klement souviens-toi que, quand tu liras l'histoire de Stockholm, il faudra t'asseoir ici même, pour que tu voies les vagues scintiller d'allégresse et les rives briller de beauté. Laisse-toi emporter par l'enchantement, Klement ! »

Le beau vieux monsieur avait élevé la voix, jusqu'à ce qu'elle devienne une sorte d'ordre puissant et communicatif tandis que ses yeux étincelaient. Puis il se leva et quitta Klement sur un petit signe de la main. Et Klement comprit à cet instant que celui qui venait de lui parler devait être un grand monsieur, et il s'inclina aussi profondément qu'il le put derrière lui.

Le lendemain, un domestique royal apporta un grand livre rouge et une lettre pour Klement, et dans la lettre il y avait écrit que ce livre était un cadeau du roi.

Après cela, le petit Klement Larsson fut comme abasourdi pendant plusieurs jours et pratiquement incapable d'exprimer une parole sensée. Une semaine plus tard, il alla voir le directeur et démissionna. Il fallait à tout prix qu'il rentrât chez lui.

Il avait été mis face à un profond dilemme[1], car le roi l'avait engagé à apprendre à connaître Stockholm et à s'y sentir bien, mais Klement ne pouvait avoir l'esprit tranquille tant qu'il n'aurait pas raconté à tous ceux de chez lui ce que le roi lui avait dit. C'était très excitant de raconter cela ici, à Skansen, devant des Lapons ou des Dalécarliens, mais ce n'était rien comparé au fait de le raconter chez lui. Il était devenu un autre homme, qu'on respecterait et honorerait tout différemment.

Et cette nouvelle nostalgie devenant insupportable à Klement, il était allé voir le directeur pour lui dire qu'il était obligé de rentrer chez lui.

---

1. Choix difficile à faire.

19

Gorgo l'aigle

Dans la vallée des hautes montagnes

Loin au milieu des montagnes de Laponie, celles qu'on appelle les *fjälls*, un vieux nid d'aigle était construit sur la partie plate d'une saillie d'une paroi escarpée.

De tout temps des aigles avaient habité sur le rocher et des oies sauvages en bas dans la vallée. Chaque année, les aigles dévoraient quelques-unes d'entre elles, mais ils se gardaient bien d'en emporter trop, car sinon les oies n'oseraient plus venir habiter dans la vallée. Les oies sauvages, quant à elles, tiraient un profit non négligeable de la présence des aigles. Ils étaient des voleurs, mais ils tenaient d'autres voleurs à distance.

Quelques années avant celle où Nils Holgersson

voyageait avec les oies sauvages, la vieille oie meneuse Akka de Kebnekaïse se tenait un matin au fond de la vallée et levait les yeux vers le nid d'aigle.

Elle n'eut pas à attendre longtemps avant de voir les deux gros oiseaux quitter leur saillie rocheuse. Superbes mais terrifiants, ils s'élancèrent dans l'air et partirent au-delà de la plaine. Et Akka poussa un soupir de soulagement.

Dans l'après-midi, elle regarda la paroi rocheuse, s'attendant à voir les aigles sur la pointe de la saillie où ils aimaient d'ordinaire faire leur sieste, et elle essaya de les distinguer le soir quand ils venaient se baigner dans le lac de montagne, mais en vain.

Le lendemain, elle ne les vit pas. Dans la quiétude matinale, par contre, elle entendit un cri, un cri puissant, furieux et plaintif à la fois, et qui semblait venir du nid d'aigle. « Se peut-il vraiment que quelque chose n'aille pas, là-haut chez les aigles ? » pensa-t-elle. Et elle s'envola très vite et monta suffisamment haut pour voir dans le nid d'aigle.

Elle n'y vit ni l'aigle femelle ni l'aigle mâle. Au milieu de l'énorme nid il n'y avait qu'un petit à moitié nu qui criait famine. Il était répugnant à voir avec son grand bec ouvert, son corps informe couvert de duvet et ses ailes mal formées sur lesquelles les futures pennes pointaient comme des épines.

Akka réussit cependant à surmonter son aversion et se posa sur le bord du nid, mais sans cesser de jeter des coups d'œil inquiets autour d'elle puisqu'elle s'attendait à chaque instant à voir revenir les vieux aigles.

« Enfin voilà quelqu'un ! cria le bébé aigle. Donne-moi à manger tout de suite !

— Dis donc, ne sois pas si pressé, toi ! dit Akka. Explique-moi d'abord où sont ton père et ta mère !

— Si seulement je le savais ! Ils sont partis hier matin en me laissant un lemming[1] pour manger durant leur absence, mais tu comprends bien qu'il est fini depuis longtemps. »

Akka commençait à comprendre que les vieux aigles avaient dû être tués.

« Tu vas me regarder comme ça longtemps ? dit le petit aigle. Tu n'as pas compris que je veux à manger ? »

Akka ouvrit ses ailes et descendit vers le petit lac, pour en remonter un moment plus tard, avec une truite saumonée dans le bec.

Le bébé aigle se mit très en colère quand elle déposa le poisson devant lui.

« Tu crois que je peux manger ce genre de chose ? dit-il en repoussant le poisson et en essayant de piquer Akka avec son bec. Trouve-moi un lagopède[2] ou un lemming, tu entends ! »

Cette fois-ci, Akka tendit le cou et pinça sévèrement le bébé aigle dans le cou.

---

1. Petit rongeur.
2. Petit oiseau.

« Laisse-moi te dire, dit la vieille oie, que si je dois te procurer à manger, tu devras te contenter de ce que je pourrai t'apporter. Ton père et ta mère sont morts et ils ne te seront d'aucun secours. Mais si tu préfères rester ici en attendant des lagopèdes et des lemmings, ce n'est pas moi qui t'en empêcherai. »

Cela dit, Akka s'envola et ne revint pas au nid d'aigle avant un bon moment. Le bébé aigle avait dévoré le poisson et, quand elle en déposa un autre devant lui, il se rua dessus même si, de toute évidence, il trouvait le poisson dégoûtant.

Akka eut fort à faire. Les vieux aigles ne réapparurent plus jamais et elle dut seule procurer au bébé aigle toute la nourriture dont il avait besoin. Elle lui apporta du poisson et des grenouilles, régime dont apparemment il ne pâtit pas puisqu'il devint grand et fort. Il oublia vite ses parents aigles et prit Akka pour sa véritable mère. Akka, de son côté, l'aimait comme s'il avait été son propre enfant. Elle essaya aussi de l'éduquer convenablement et de lui faire perdre sa férocité et son arrogance.

Au bout de quelques semaines, Akka se rendit compte que l'époque où elle allait changer de plumes et être incapable de voler approchait.

« D'ici peu, Gorgo, lui dit-elle un jour, je ne pourrai plus t'apporter du poisson. Tu as le choix entre mourir de faim ici ou te lancer dans la vallée, mais cela aussi peut te coûter la vie. »

Sans réfléchir un seul instant, le petit aigle déploya ses petites ailes et s'élança. Il fit quelques tours en l'air sur lui-même mais réussit quand même à utiliser suffisamment ses ailes pour arriver sur le sol à peu près intact.

Et là, en bas, Gorgo passa un été en compagnie des oisons et fut pour eux un bon camarade.

Ses ailes devinrent bientôt suffisamment larges pour le porter mais ce ne fut qu'à l'automne, lorsque les oisons apprirent à voler, qu'il eut l'idée de s'en servir pour voler. Suivit alors pour lui une époque merveilleuse, car à ce sport il devint vite le plus habile.

Quand les oies sauvages entreprirent leur migration d'automne, Gorgo prit place dans leur vol. Mais l'air était plein d'oiseaux en route pour le sud et l'agitation fut grande parmi eux quand Akka apparut avec un aigle dans sa suite. La formation des oies sauvages était sans cesse entourée de nuées de curieux qui exprimaient tout haut leur étonnement. Akka leur demanda bien de se taire mais il lui fut impossible de lier tant de langues déchaînées. « Pourquoi m'appellent-ils un aigle ? demandait régulièrement Gorgo, de plus en plus irrité. Ne voient-ils pas que je suis une oie sauvage ? Je n'ai rien d'un mangeur d'oiseaux qui dévore ses semblables. Comment osent-ils me traiter ainsi ! »

Un jour, ils survolaient une ferme dans le poulailler de laquelle de nombreuses poules étaient en train de picorer. « Un aigle ! Un aigle ! » crièrent les poules en courant se mettre à l'abri. Mais Gorgo, qui avait entendu parler des aigles comme de sauvages criminels, ne put contrôler sa colère. Il serra ses ailes, fondit vers le sol et planta ses griffes dans une des poules. « Je vais t'apprendre, moi, que je ne suis pas un aigle ! » cria-t-il furieux en lui assenant des coups de bec.

Mais il entendit Akka qui de là-haut l'appelait et il remonta, obéissant. L'oie sauvage commença à le morigéner. Mais, alors que l'aigle acceptait sans résistance les réprimandes de l'oie sauvage, une tempête de railleries et de sarcasmes s'éleva des grands vols d'oiseaux qui les entouraient. L'aigle entendit cela et se tourna vers Akka, les yeux furieux, comme s'il avait voulu l'attaquer. Mais il changea vite d'avis, s'éleva dans l'air de quelques puissants coups d'aile, monta suffisamment haut pour que plus aucun cri ne puisse l'atteindre et il plana là-haut jusqu'à ce que les oies sauvages le perdent de vue.

Trois jours plus tard, il réapparut dans le troupeau.

« Je sais maintenant qui je suis, dit-il à Akka. Et puisque je suis un aigle, je dois vivre comme il convient à un aigle. Mais je pense que nous pouvons

quand même rester bons amis. Jamais je ne m'atta-
querai à toi ou aux tiens. »

Depuis lors, Gorgo errait de par le pays, solitaire
et redouté comme les plus grands brigands. Parmi les
animaux il avait une solide réputation d'intrépidité,
mais ils disaient souvent aussi qu'il ne craignait personne sauf sa mère adoptive, Akka. Ils disaient aussi
de lui que jamais il ne s'était attaqué à une oie sauvage.

En captivité

Gorgo n'avait que trois ans quand, un jour, il fut capturé par un chasseur et vendu à Skansen.

La première semaine où il se trouva en captivité,
il fut encore vif et éveillé, mais bientôt une lourde
somnolence s'insinua en lui. Il restait perché au
même endroit, regardant devant lui sans rien voir et
ne sachant plus rien de l'écoulement des jours.

Un matin, tandis que Gorgo était plongé dans sa
torpeur habituelle, il entendit que quelqu'un l'appelait du sol. Il était si somnolent qu'il eut à peine la
force de baisser les yeux.

« Qui m'appelle ? demanda-t-il.

— Enfin, Gorgo, tu ne me reconnais pas ? Je suis
Poucet, celui qui volait avec les oies sauvages. Je n'ai
pas oublié qu'un jour tu m'as ramené auprès des oies

sauvages et que tu as épargné le jars blanc. Dis-moi si je peux t'aider d'une manière ou d'une autre ! »

Gorgo redressa à peine la tête.

Quand ce fut la nuit, on entendit un léger raclement sur le grillage du toit de la cage. Gorgo se réveilla.

« Qui est-là ? Qu'est-ce qui bouge sur le toit ? demanda-t-il.

— C'est moi, Poucet, répondit le garçon. Je suis en train de limer le fil de fer pour que tu puisses t'envoler, Gorgo. »

L'aigle releva la tête et, dans la nuit claire, vit qu'effectivement le garçon était en train de limer le fil de fer tendu sur la cage. Un bref instant il ressentit de l'espoir, mais le découragement reprit vite le dessus. Il sombra dans le sommeil mais, quand il se réveilla le lendemain matin, il vit immédiatement qu'un grand nombre de fils avaient été limés. Il déploya ses ailes et sautilla sur les branches des arbres pour chasser la raideur de ses articulations.

Tôt un matin, au moment même où la première lueur de l'aube teintait le ciel, Poucet réveilla l'aigle.

« Essaie, maintenant, Gorgo ! » dit-il.

L'aigle leva les yeux. Le garçon avait effectivement limé tant de fils qu'un grand trou était à présent ouvert dans le grillage. Gorgo remua les ailes et se propulsa vers le haut. Deux fois il échoua et retomba dans la cage, mais à la troisième il réussit à sortir à l'air libre, sain et sauf.

D'un vol fier il s'éleva vers les nuages, tandis que Poucet le regardait avec une mine mélancolique, souhaitant que quelqu'un vînt qui lui rendrait sa liberté à lui aussi.

On peut s'étonner que Klement ne l'eût pas fait. Le matin de son départ, il avait pensé sortir le repas du lutin dans un bol bleu mais, par un mauvais concours de circonstances, il n'avait pu en trouver. Son départ étant imminent, il n'avait pour finir trouvé d'autre solution que de demander l'aide d'un vieux Lapon.

« Voilà, dit Klement, il faut que je te dise que l'un du petit peuple habite ici, à Skansen, et d'habitude je lui donne un peu à manger tous les matins. Si tu pouvais, en échange de ces quelques pièces, me rendre le service d'acheter un bol bleu et de le déposer demain rempli d'un peu de porridge au lait... »

Le vieux Lapon avait eu l'air assez étonné, mais Klement n'avait pas eu le temps de lui en dire plus car un train l'attendait à la gare.

Le Lapon était réellement descendu dans les boutiques de la ville mais, ne trouvant pas de bol bleu à son goût, il en avait acheté un blanc. Et dans ce bol blanc il avait continué à déposer consciencieusement de la nourriture tous les matins. De ce fait, le garçon n'avait pas été délié de sa promesse.

Ce matin-là, il regretta plus que jamais sa liberté, et cela parce que le printemps et l'été étaient arrivés pour de bon. « Il doit faire bon aussi en Laponie maintenant, pensa-t-il. J'aimerais bien me trouver sur le dos de Martin jars par une aussi belle matinée. »

Il était en train de penser cela quand l'aigle fusa[1] brusquement dans l'air et vint se poser à côté de lui sur le toit de la cage.

« Je voulais simplement tester mes ailes pour voir si elles sont encore bonnes à quelque chose, dit Gorgo. Tu ne t'imaginais quand même pas que j'avais l'intention de te laisser en captivité ? Grimpe sur mon dos, maintenant, et je te ramènerai à tes compagnons de voyage !

— Je suis obligé de rester, je l'ai promis, dit le garçon. Je te remercie pour tes bonnes intentions, mais tu ne peux pas m'aider.

— Vraiment ? dit Gorgo. On va voir ça ! »

Et en disant cela, il saisit Nils Holgersson dans sa grosse serre, s'éleva en l'air avec lui et disparut en direction du nord.

---

1. Se précipita.

20

Au-dessus du Gästrikland

Mercredi 15 juin.

L'aigle survola tout l'Uppland et ne s'arrêta qu'une fois arrivé à la grande chute d'eau d'Älvkarleby. Là, il atterrit sur un rocher planté au milieu de la rivière, juste en bas de la cascade bouillonnante et libéra son prisonnier.

Sûr d'avoir déposé le garçon dans un endroit duquel il ne pourrait s'échapper, il entreprit de lui raconter qu'il avait été élevé par Akka de Kebnekaïse et qu'il s'était disputé avec sa mère adoptive.

« Tu dois comprendre maintenant, Poucet, pourquoi je veux te ramener auprès des oies sauvages, dit-il pour finir. J'ai entendu dire que tu étais dans les bonnes grâces[1] d'Akka, et je voulais te demander d'intervenir pour que la paix se fasse entre nous. »

Dès que le garçon comprit que l'aigle ne l'avait pas enlevé par pur caprice, il devint aimable envers lui.

« J'aimerais bien t'aider à réaliser ton souhait, dit-il. Mais je suis lié par une promesse. »

Et, à son tour, il raconta à l'aigle comment il avait été fait prisonnier et comment Klement Larsson avait quitté Skansen sans le libérer.

Mais la raison n'était pas suffisante pour faire renoncer l'aigle à ses projets.

« Écoute-moi maintenant, Poucet ! dit-il. Mes ailes te porteront où tu voudras aller, et mes yeux sauront trouver tout ce que tu chercheras. Décris-moi l'homme qui t'a fait donner cette promesse et je le retrouverai et te mènerai auprès de lui ! Ensuite, ce sera à toi de le persuader de te libérer. Nous parcourrons tout le Hälsingland à sa recherche, de Lingbo à Mellansjö, de Storberget jusqu'à Hornslandet. Et demain, avant le soir, tu pourras t'expliquer avec cet homme. »

Quand Gorgo et Poucet quittèrent Älvkarleby, ils étaient bons amis. Et le garçon, chevauchant cette fois-ci le dos de l'aigle, fut à nouveau en mesure de voir un peu des contrées qu'il survola. L'aigle l'emportait maintenant à vive allure au-dessus du Gästrikland.

---

1. Sous la protection.

Les voyageurs étant arrivés un peu plus haut dans les forêts du nord, Gorgo se posa au sommet d'une hauteur dénudée et, lorsque le garçon eut sauté à terre, l'aigle dit :

« Le gibier abonde dans cette forêt. Promène-toi où bon te semble, pourvu seulement que tu sois de retour ici avant le coucher du soleil. »

Le garçon ne se trouvait pas là depuis longtemps lorsqu'il entendit un chant monter de la forêt en contrebas et qu'il y distingua quelque chose de clair qui bougeait entre les arbres. Il vit bientôt qu'il s'agissait d'un étendard bleu et jaune, et ce chant et ces rires joyeux qu'il entendait lui firent vite comprendre que l'étendard était porté en tête de toute une procession de gens qu'il ne put cependant pas distinguer avant un bon moment. L'étendard surgit à la lisière des bois et, derrière lui, fourmillèrent tous ceux qui l'avaient brandi. Le sommet fut empli d'agitation et de mouvement et, ce jour-là, le garçon vit tant de choses qu'il ne s'ennuya pas un seul instant.

Dix ans plus tôt, sur la large crête montagneuse où Gorgo avait laissé Poucet, un incendie avait fait ses ravages. Les arbres carbonisés avaient été coupés et enlevés et les bords du champ brûlé, avoisinant la forêt indemne, avaient commencé à se couvrir de végétation. Mais la plus grande partie du sommet restait nue et terriblement stérile.

Un jour du début de l'été, tous les enfants des

environs de cette montagne ravagée par le feu s'assemblèrent devant un des bâtiments de l'école. Et chaque enfant portait qui une pelle qui une pioche sur l'épaule, et le sac à provisions dans la main. Dès qu'ils se trouvèrent tous rassemblés, ils formèrent un long cortège qui se dirigea vers la forêt. Un étendard était porté en tête, instituteurs et institutrices marchaient sur le côté et, derrière eux, suivaient deux gardes forestiers et un cheval tirant une charrette remplie de plants de pin et de graines de sapin.

Le cortège finit par arriver sur l'étendue dénudée. Lorsque tous ces enfants de la commune s'éparpillèrent sur le sommet, ce fut comme si une éclaircie s'était ouverte dans le ciel. Ils saisirent pelles et pioches et se mirent au travail. Les gardes forestiers leur montraient comment il fallait faire et, l'un après l'autre, ils déposaient les plants dans tous les petits morceaux de terre qu'ils pouvaient trouver.

Tout en plantant, les enfants s'assuraient l'un l'autre qu'un humus[1] nouveau allait se former sous les arbres et dans lequel tomberaient des graines qui leur permettraient, d'ici quelques années, de cueillir framboises et myrtilles là où, pour l'instant, ne s'étalaient que des pierres lisses.

« Oui, c'est une chance que nous soyons venus, disaient-ils entre eux. Il était temps ! »

Et ils se sentaient extrêmement importants.

---

1. Terre bonne pour les arbres.

Tandis que les enfants travaillaient sur la montagne, leurs parents étaient à la maison et, au bout d'un moment, ils commencèrent à se demander comment les enfants se débrouillaient. C'était illusoire[1], bien sûr, de dire que des enfants allaient replanter une forêt, mais ça pourrait toujours être amusant d'aller les voir faire. Et bientôt père et mère se retrouvèrent sur le chemin dans la forêt, et rencontrèrent des voisins sur les sentiers de l'alpage.

« Vous montez à la crête brûlée ?

— Oui, c'est là qu'on va.

— Pour aller voir les gosses ?

— Oui, on va voir comment ils s'en sortent.

— Au moins, ça les amuse.

— De toute façon, des petits comme eux ne peuvent pas planter tant d'arbres que ça.

— On a amené la cafetière, pour leur donner quelque chose de chaud, parce qu'ils n'ont emporté qu'un casse-croûte. »

Bien vite ils se rendirent compte que les enfants travaillaient.

Et que les enfants prenaient leur travail à cœur et étaient si affairés qu'ils avaient à peine le temps de lever la tête.

Père ne fit que regarder pendant un moment, puis il se mit à arracher des racines, rien que pour s'amuser. Les enfants, déjà familiarisés avec la manière de

---

1. Qui procure une illusion, qui fait croire à quelque chose d'impossible.

procéder, devinrent les maîtres, et durent montrer à père et mère comment s'y prendre.

Et bientôt, tous les adultes montés pour regarder les enfants participèrent au travail. Et, du coup, cela devint bien sûr beaucoup plus amusant qu'avant.

Ce n'étaient plus seulement des petites pousses tendres qui allaient sortir de terre, mais des arbres puissants, avec des troncs et des branches solides. Il n'était plus seulement question de donner naissance à la verdure d'un été mais, cette fois, de créer des années de végétation. Et c'était en même temps une sorte de monument qu'on dressait pour les générations futures. On aurait pu leur léguer une colline nue et désertique mais maintenant, au lieu de cela, ils allaient hériter d'une forêt vigoureuse. Et quand leurs descendants se rendraient compte de cela, ils comprendraient que leurs ancêtres avaient été des gens sensés et avisés, et ils penseraient à eux avec respect et reconnaissance.

21

Une journée dans le Hälsingland

Jeudi 16 juin.

Le lendemain, le garçon survola le Hälsingland, étendu sous ses pieds avec ses conifères et ses bosquets de bouleaux couverts de récentes pousses vert tendre.

C'était un plaisir de regarder ce pays, et le garçon en jouit au maximum puisque l'aigle, essayant de retrouver le vieux ménétrier Klement Larsson, en parcourut les vallées l'une après l'autre, sans cesse aux aguets.

La matinée avançant, l'agitation gagna les fermes. Partout les cours s'animaient. Des jeunes filles, besace sur le dos, circulaient parmi le bétail. Un garçon, muni d'une longue badine[1], gardait les moutons rassemblés. Un petit chien filait entre les vaches et aboyait contre celles qui cherchaient à donner des coups de tête. Le fermier attela un cheval à une charrette, puis la chargea de tinettes[2] à beurre, de moules à fromage et de toutes sortes de provisions. Les gens riaient et fredonnaient. Hommes et bêtes, aussi gais les uns que les autres, s'apprêtaient manifestement à un jour de joie.

Le garçon vit partout de joyeux cortèges de gens et de bêtes quitter vallées et fermes pour s'enfoncer dans les bois inhabités et y répandre la vie. Toute la journée, il entendit monter des profondeurs de la forêt les chants des bergères et le tintement des sonnailles.

Gorgo l'aigle pensait certainement trouver Klement Larsson parmi ces gens qui gagnaient les forêts car, dès qu'il distinguait un cortège en route pour un alpage, il descendait et l'examinait de son regard aigu. Pourtant, les heures passaient sans qu'il le trouvât.

Après avoir ainsi beaucoup volé dans tous les sens, l'aigle arriva dans la soirée au-dessus d'une région montagneuse et désolée située à l'est de la grande vallée principale.

---

1. Bâton.
2. Petits tonneaux à bord étroit.

« Regarde par là ! dit-il. Cette fois-ci, je crois que nous l'avons ! »

Il descendit et, à sa grande surprise, le garçon vit que l'aigle avait raison. Le petit Klement Larsson était effectivement là, dans le pré, en train de couper du bois.

Gorgo se posa dans l'épaisseur de la forêt, un peu à l'écart des chalets.

« Maintenant, j'ai accompli ce que j'avais promis, dit-il en redressant fièrement la tête. À toi d'essayer d'entrer en contact avec l'homme. Moi, je me poste là-haut dans la cime de ce pin et je t'attends. »

La nuit du Nouvel An des animaux

Dans le chalet, le travail de la journée était terminé et l'on avait fini de souper, mais les gens continuaient de causer. Elle était loin, leur dernière nuit d'été dans la forêt et ils ne ressentaient aucune envie d'aller se coucher. Il faisait clair comme en plein jour et les jeunes filles avaient pris leur ouvrage mais, de temps en temps, elles levaient la tête, regardaient la forêt et souriaient pour elles-mêmes.

À un moment, la plus âgée des bergères leva les yeux de son ouvrage et dit gaiement :

« Il y a Klement Larsson, qui est assis à côté de

moi. Moi, je trouve que nous devrions lui demander de nous raconter une histoire. »

Alors Klement commença son récit : « Cela se passait un jour, du temps où je me trouvais à Skansen, près de Stockholm, et où j'avais la nostalgie de chez moi », commença-t-il. Puis il raconta l'histoire du tomte qu'il avait acheté pour qu'il ne soit pas mis en cage et présenté aux gens comme un spectacle. Et il raconta aussi qu'à peine avait-il accompli cette bonne action qu'il avait été récompensé. Il parla et parla tandis que la stupeur des auditeurs allait grandissante et, lorsqu'il finit par arriver au domestique royal et au beau livre, toutes les bergères avaient posé leur ouvrage sur les genoux et, figées, braquaient leurs yeux sur Klement, sur celui à qui il avait été donné de vivre tant d'événements remarquables.

Depuis qu'ils savaient que Klement avait parlé avec le roi, ils ne le regardaient plus avec les mêmes yeux qu'avant, et le petit ménétrier n'osait trop montrer à quel point il se sentait fier. Alors qu'il nageait en plein bonheur, quelqu'un lui demanda ce qu'il avait fait du tomte.

« Je n'ai pas eu le temps de mettre moi-même un bol bleu, dit Klement. Mais j'ai demandé au vieux Lapon de le faire. Je ne sais pas ce qu'il est devenu par la suite. »

À peine Klement avait-il dit ces mots qu'une petite pomme de pin traversa l'air et l'atteignit au nez. Elle n'était pas tombée des arbres, et aucun de ceux qui étaient présents ne l'avait jetée. D'où elle venait restait un mystère.

« Aïe, aïe, Klement ! dit la bergère. On dirait que le petit peuple écoute ce que nous disons. Vous n'auriez pas dû laisser à quelqu'un d'autre le soin de mettre le bol bleu. »

22

Le Västerbotten et la Laponie

Samedi 18 juin.

L'aigle et le garçon étaient partis de bonne heure et Gorgo s'était dit qu'il pourrait arriver loin dans le Västerbotten ce jour-là.

Le voyage était si calme que parfois le garçon avait l'impression de rester immobile dans l'air, l'aigle semblait battre des ailes sans avancer d'un pouce. En bas, par contre, tout paraissait être en mouvement. Le sol et tout ce qui le recouvrait dérivaient lentement vers le sud. Forêts, villes, fleuves étaient-ils lassés de rester si loin au nord et voulaient-ils déménager vers le sud ? pensa le garçon.

Parmi toutes ces choses descendant vers le sud, il n'en vit qu'une seule immobile : une locomotive. Elle se trouvait juste à leur aplomb[1] et, comme Gorgo, ne bougeait pas d'un pouce. La locomotive crachait de la fumée et des escarbilles[2], le bruit des roues grinçant sur les rails parvenait jusqu'au garçon, mais le train ne bougeait pas. Les forêts le croisaient, les maisons des gardes-barrières le croisaient, des poteaux télégraphiques le croisaient, mais le train restait immobile. Un large fleuve enjambé par un pont avança à sa rencontre, mais le fleuve et le pont glissèrent sous le train sans la moindre difficulté. Pour finir, une gare approcha. Le chef de gare se tenait sur le quai, son fanion rouge à la main, et glissa lentement vers le train. Quand il agita son petit drapeau, la locomotive lâcha des tourbillons de fumée encore plus noirs qu'avant et poussa un gémissement, comme pour se plaindre d'être immobile. Mais en même temps, pourtant, elle se mit en marche, glissa vers le sud comme la gare et tout le reste. Le garçon vit les portières s'ouvrir tandis qu'à la fois wagons et voyageurs migraient vers le sud. Mais bientôt le garçon, qui commençait à sentir sa tête tourner à force d'observer ce train étrange, quitta la terre des yeux et essaya de regarder devant lui.

Cette province possédait une chose en plus grande quantité que toutes les autres : c'était la lumière. Les grues s'endormaient dans les marécages. L'heure de

---

1. Juste au-dessous d'eux.
2. Petits morceaux de charbon.

la nuit avait dû sonner, mais la lumière s'attardait encore. Le soleil, contrairement au reste, n'était pas parti pour le sud. Au contraire, il s'était rendu si loin au nord que maintenant il brillait droit dans les yeux du garçon. Et, cette nuit-là, il semblait ne pas envisager de descendre sous l'horizon. Et si une telle lumière et un tel soleil illuminaient Västra Vemmenhög ? Voilà qui plairait certainement au petit fermier Holger Nilsson et à sa femme, ravis de disposer d'une journée de travail de vingt-quatre heures.

L'arrivée

Dimanche 19 juin.

Le garçon leva la tête et, mal réveillé, regarda autour de lui. Bizarre ! Il venait donc de dormir dans un endroit où il n'était jamais venu auparavant.

Il se mit lentement en marche et chercha ses amis. Il dut chercher un bon moment avant de trouver les oies sauvages. Mais ensuite il remarqua sur un tertre quelque chose qui ressemblait à une petite touffe d'herbe grise et, en arrivant plus près, il vit qu'il s'agissait d'Akka de Kebnekaïse. Elle était parfaitement réveillée et regardait autour d'elle, comme pour surveiller toute la vallée.

« Bonjour, mère Akka ! dit le garçon. C'est très bien que vous soyez réveillée. S'il vous plaît, ne réveillez pas les autres avant un moment, car je voudrais parler seul à seule avec vous. »

La vieille oie sauvage bondit au pied du tertre. Pour commencer, elle attrapa le garçon et le secoua, puis elle glissa son bec tout au long de son corps, de la tête aux pieds puis des pieds à la tête avant de le secouer à nouveau. Mais sans rien dire cependant, puisqu'il lui avait demandé de ne pas réveiller les autres.

Poucet embrassa la vieille mère Akka sur les deux joues, puis il lui raconta comment il avait été emmené à Skansen et gardé en captivité.

« Il faut aussi que je vous dise que Smirre le renard à l'oreille coupée était lui aussi retenu prisonnier dans la cage des renards, dit le garçon. Et, malgré la cruauté dont il avait fait preuve à notre égard, je n'ai pu m'empêcher d'avoir pitié de lui. Un jour, le chien de Laponie m'a appris qu'un homme avait passé un accord avec le parc pour acheter des renards. Dès que j'ai entendu cela, je suis allé vers la cage de Smirre et je lui ai dit : "Demain, Smirre, des hommes viendront ici pour prendre quelques renards. Ne te dérobe pas, mais reste bien en vue et fais en sorte d'être attrapé, ainsi tu retrouveras ta liberté !" Il a suivi mon conseil et désormais il parcourt cette île en liberté. Maintenant, si vous avez envie de dire un mot de remerciement à celui qui m'a ramené ici, je crois que vous le trouverez là-haut, sur l'aire[1] où un jour vous avez aidé un bébé aigle sans défense. »

---

1. Endroit plat où l'aigle établit son nid.

23

Åsa la gardeuse
d'oies et le petit Mats

La maladie

L'année où Nils Holgersson voyageait avec les oies sauvages, on parlait beaucoup de deux enfants, un garçon et une fille, qui traversaient le pays à pied. Ils venaient de la province du Småland, du canton de Sunnerbo, où autrefois ils avaient vécu avec leurs parents et leurs quatre frères et sœurs dans une petite maison bâtie au milieu d'une vaste lande de bruyère. Du temps où les enfants étaient encore petits, une voyageuse démunie avait frappé un soir à la porte de chez eux pour demander l'hospitalité. Bien que la cabane pût à peine contenir ceux qui y vivaient, on l'avait fait entrer et on lui avait installé une couche par terre. Durant la nuit, elle avait toussé si fort que les enfants avaient cru sentir trembler la maison et, le lendemain matin, elle était si malade qu'elle n'avait pu poursuivre son chemin.

Père et mère avaient été aussi bons que possible à son égard. Ils lui avaient laissé leur lit pour dormir eux-mêmes par terre, et père était allé trouver un médecin pour rapporter des gouttes pour la malade.

Mais elle était morte un peu plus tard, et ensuite les malheurs avaient commencé. L'un après l'autre les frères et sœurs étaient morts et avaient été portés en terre. Les enfants n'avaient eu que quatre frères et sœurs mais c'était comme s'il y avait eu beaucoup plus d'enterrements encore. La maison avait fini par devenir silencieuse et oppressante, comme si chaque jour s'y étaient déroulées des obsèques.

Mère avait à peu près conservé son courage, mais père avait complètement changé. Il ne savait plus ni plaisanter ni travailler, du matin au soir il restait la tête enfoncée entre ses mains et ne faisait que réfléchir.

Un jour, père s'était lancé dans un violent discours qui avait effrayé les enfants. Il ne comprenait pas, avait-il dit, pourquoi un tel malheur s'abattait sur eux. Ils avaient accompli une bonne action en aidant cette malade. Le mal était-il donc réellement plus puissant que le bien, ici-bas ?

Quelques jours plus tard, c'en avait été fini de lui. Mais il n'était pas mort, il était parti. Car la fille aînée aussi était tombée malade, et père l'avait préférée entre tous. Et, voyant qu'elle allait mourir, il avait fui cette abomination.

Père parti, la pauvreté s'était abattue sur eux. Au début, il leur avait envoyé de l'argent, mais ensuite les choses avaient dû devenir difficiles pour lui car il avait cessé d'en envoyer.

Mais mère était forte et courageuse. Quand quelqu'un lui parlait des deux magnifiques enfants qui étaient avec elle, elle répondait seulement :

« Ils ne vont pas tarder à mourir, eux aussi. »

Elle disait cela sans un tremblement dans la voix ni une larme à l'œil. Elle s'était habituée à ne rien attendre d'autre.

Mais les choses ne s'étaient pas passées comme mère l'avait envisagé. C'était elle que la maladie avait frappée et les choses étaient allées vite, plus vite qu'avec les frères et sœurs.

Avant de disparaître, mère avait essayé d'arranger les choses pour ses enfants : ils gagneraient leur vie eux-mêmes, elle en était sûre. La fille savait faire des bonbons, et le garçon taillait des jouets en bois qu'ils allaient vendre dans les fermes. Ils étaient doués pour le commerce, et bientôt ils commencèrent à acheter chez les paysans des œufs et du beurre qu'ils reven-daient ensuite. Ils étaient si organisés et méthodiques qu'on pouvait leur confier n'importe quoi. La fille était l'aînée et, à treize ans, était aussi digne de confiance qu'un adulte. Elle était silencieuse et sérieuse tandis que le garçon était gai et bavard, et

sa sœur disait souvent de lui qu'en mesure de caquetage il en remontrait aux oies dans les champs.

Un soir, il y avait eu une conférence à l'école. Le
conférencier avait parlé de la tuberculose, cette grave
maladie qui chaque année tue tant de monde en
Suède. Il avait parlé de manière claire et nette, et les
enfants avaient compris tous ses mots.

Après la conférence, ils s'étaient postés devant
l'école et, quand le conférencier était sorti, ils
s'étaient approchés, main dans la main, et, très solennellement, ils avaient demandé à lui parler. Ils racon-
tèrent ce qui s'était passé chez eux et, pour finir, ils
demandèrent au conférencier s'il pensait que leur
mère et leurs frères et sœurs étaient morts de la maladie qu'il venait de décrire. Cela paraissait probable,
leur répondit-il. Il ne pouvait guère s'agir d'une autre
maladie.

Les enfants désiraient maintenant obtenir la
réponse à la question la plus importante pour eux. Il
était donc faux de dire qu'un mauvais sort les avait
frappés ? Non, ça, le conférencier pouvait le leur cer-
tifier. Aucun être humain n'avait le pouvoir
d'envoyer la maladie de cette manière. Ils devaient
savoir que cette maladie sévissait dans tout le pays,
qu'elle s'était abattue partout, même si ailleurs elle
n'avait pas frappé aussi fort que chez eux.

Les enfants, alors, le remercièrent et rentrèrent
chez eux. Ce soir-là, ils parlèrent très longuement
ensemble.

Ils devaient s'en aller. Mais pour aller où ? Eh bien, ils devaient retrouver leur père. Il fallait qu'ils lui disent que mère et les autres enfants étaient morts d'une vraie maladie, pas d'une malédiction envoyée sur eux par quelqu'un de malfaisant. Ils étaient si heureux d'avoir appris cela, et désormais leur devoir était de le raconter à leur père, probablement encore en train de ruminer ce mystère.

Ils avaient gagné un peu d'argent avec leur commerce mais, ne voulant pas le dépenser en billets de train, ils avaient décidé de parcourir tout le chemin à pied.

Dans les fermes qu'on leur indiquait, il se trouvait toujours quelque tuberculeux et, sans s'en rendre compte, les enfants parcoururent le pays en apprenant aux gens à quel point était grave cette maladie qui avait fait irruption dans leur foyer, ainsi que les moyens de la combattre.

24

Chez les Lapons

Petit Mats était mort. Cela paraissait incroyable à ceux qui l'avaient vu gai et resplendissant de santé quelques heures plus tôt seulement, mais c'était malheureusement la vérité.

Petit Mats et sa sœur avaient traversé de longues et interminables forêts. Durant plusieurs jours ils n'avaient vu ni champs ni fermes, rien que de pauvres relais de poste, jusqu'au jour où ils étaient arrivés dans le gros village de Gällivare, disposé autour de son église. Un vaste champ minier s'étendait près de Gällivare, et l'exploitation avait commencé quelques années plus tôt.

Un après-midi, Petit Mats s'était promené près de la mine. Il s'était tenu trop près d'un puits au moment où partaient des coups de dynamite et des pierres l'avaient touché. Comme il s'en était allé seul, il était resté longtemps évanoui par terre sans que personne soupçonnât l'accident. Pour finir, quelques hommes qui travaillaient dans le puits l'avaient appris d'une manière fort étrange. Ils affirmaient qu'un petit lutin, pas plus grand que la paume de la main, était descendu dans la mine et leur avait crié de courir aider le petit Mats qui, là-haut, perdait tout son sang. Après cela, on avait porté le petit Mats chez lui et on l'avait pansé, mais il était trop tard, il avait perdu tant de sang qu'il ne pourrait continuer à vivre.

Après l'enterrement de Mats

Åsa resta éveillée toute la soirée et fort tard dans la nuit. Plus elle repensait à son frère et plus elle comprenait à quel point elle aurait du mal à vivre sans lui, et elle finit par poser la tête contre la table pour pleurer amèrement.

« Que vais-je faire maintenant que je n'ai plus Petit Mats ? » sanglotait-elle.

La nuit était déjà bien avancée et, la tête ainsi baissée, après une journée fatigante, Åsa sombra tout naturellement dans le sommeil. Tout naturellement aussi elle se mit à rêver de Petit Mats, et elle le vit venir auprès d'elle.

« Maintenant, Åsa, il faut que tu ailles retrouver papa, dit-il.

— Mais comment le pourrai-je, puisque je ne sais pas où il se trouve ? répondit-elle dans son rêve.

— Ne t'en fais pas pour ça, dit vivement Petit Mats du ton joyeux qui avait toujours été le sien. Je vais t'envoyer quelqu'un qui saura t'aider. »

Alors, tandis qu'Åsa rêvait cela, on frappa à la porte de sa chambre. Mais il ne s'agissait plus d'un rêve, on avait réellement frappé à la porte. Néanmoins, plongée comme elle l'était dans son rêve, ne sachant plus vraiment discerner la réalité du songe, elle alla ouvrir en pensant : « Ce doit être celui que Mats a promis de m'envoyer. »

Celui qui avait frappé était un petit lutin, pas plus grand que la paume d'une main. Bien qu'il fût tard, il faisait encore jour, et Åsa vit immédiatement qu'il s'agissait du gamin qu'elle et Petit Mats avaient rencontré plusieurs fois en traversant le pays. « Je me disais justement que ce serait lui que Petit Mats m'enverrait pour m'aider à trouver papa », pensa-t-elle.

Elle ne se trompait pas, le gamin venait effectivement lui parler de son père. Voyant qu'elle n'avait pas peur de lui, il lui expliqua en quelques mots où se trouvait son père et ce qu'elle devrait faire pour le rejoindre.

Et, malgré sa peur du tomte, elle comprit qu'il

avait voulu son bien et, le lendemain, elle se hâta de suivre exactement ses conseils.

Sur la rive ouest du Luossajaure, un petit lac situé à plusieurs dizaines de kilomètres au nord de Malmberget, était établi un petit campement de Lapons.

À l'ouest du lac, le terrain était plat et dégagé et c'était là que quelques familles de Lapons avaient installé leur campement. Arrivés depuis un mois environ, il ne leur avait pas fallu longtemps pour dresser leurs habitations. Ils n'avaient eu qu'à couper quelques buissons de saules et à égaliser quelques mottes pour préparer leur terrain, à enfoncer solidement les perches de leurs tentes dans le sol et à étendre la toile pour obtenir une habitation presque terminée. Et ils ne s'étaient pas donné beaucoup de mal pour l'aménagement et l'ameublement intérieur. L'important était d'étaler quelques branches de sapins et quelques peaux de bêtes par terre, et de suspendre par une chaîne attachée aux montants de la tente la grosse marmite dans laquelle ils faisaient bouillir la viande de renne.

Un après-midi de juillet, alors qu'il pleuvait à verse près de Luossajaure, les Lapons, d'ordinaire toujours dehors pendant l'été, s'étaient tous rassemblés autant que possible dans une des tentes et buvaient du café assis autour du feu.

Tandis que ces Lapons discutaient la tasse à la main, une barque, venue de la rive de Kiruna, accosta près du campement des Lapons. Un ouvrier et une jeune fille qui devait avoir dans les treize ou quatorze ans en descendirent.

L'ouvrier entra chez les Lapons et, tandis que fusaient les rires et les plaisanteries, il se casa ainsi que la petite fille dans cette tente déjà pleine de monde. Söderberg – c'était son nom – parla tout de suite en lapon à ses hôtes. La petite fille qui l'accompagnait, ne comprenant rien à leur conversation, gardait le silence et regardait étonnée la marmite et la cafetière, le feu et la fumée, les Lapons et les Lapones, les enfants et les chiens, la tente et le sol, les tasses à café et les pipes, les vêtements bariolés et les outils sculptés. Tout cela était nouveau pour elle, ici rien ne ressemblait à ce qu'elle avait coutume de voir.

Mais soudain elle dut cesser de tout examiner et fut obligée de baisser les yeux, parce qu'elle s'était rendu compte que tous dans la hutte la regardaient. Söderberg avait dû parler d'elle car maintenant les Lapons et les Lapones avaient sorti leurs courtes pipes de leur bouche et la fixaient.

La fillette aurait préféré qu'il ne parle pas tant d'elle aux Lapons, qu'il leur demande plutôt s'ils savaient où était son père. Le tomte avait expliqué qu'il séjournait chez les Lapons établis à l'ouest du Luossajaure. Elle avait espéré le rencontrer dès son arrivée ici et elle avait regardé l'un après l'autre les visages des gens sous la tente, mais tous avaient les traits lapons, aucun n'était celui de son père.

Elle remarqua que les Lapons et Söderberg devenaient de plus en plus graves à mesure qu'ils parlaient. Les Lapons secouaient la tête et se tapaient le front, comme s'ils parlaient de quelqu'un qui ne possédait plus toute sa raison. Alors son inquiétude fut telle qu'elle ne sut plus se taire et attendre, et elle demanda à Söderberg ce que les Lapons savaient de son père.

« Ils disent qu'il est parti pêcher, dit l'ouvrier. Ils ne savent pas s'il doit rentrer au camp ce soir. Mais dès que le temps se sera amélioré, l'un d'entre eux ira le chercher. »

C'était le matin et le temps était au beau. Ola Serka, le chef du clan lapon, avait dit qu'il irait lui-même à la recherche du père d'Åsa, mais il ne se pressait pas. Accroupi devant sa hutte, il pensait à Jon Assarsson et se demandait comment il allait lui annoncer que sa fille était venue le chercher. Il faudrait procéder sans angoisser Jon Assarsson qui était capable de s'enfuir en apprenant cela. Car l'homme était étrange, il avait peur de rencontrer des enfants, il disait souvent qu'en les voyant lui venaient des pensées si sombres qu'il n'arrivait pas à les supporter.

Ola Serka descendit au Luossajaure et longea un moment la rive, jusqu'à ce qu'il trouve un homme assis sur une pierre en train de pêcher. L'homme avait des cheveux gris et le dos voûté. Ses yeux semblaient las, et il y avait en lui quelque chose de faible et de désemparé. Il avait l'air de quelqu'un qui aurait essayé de porter un fardeau trop lourd pour lui, ou de démêler quelque chose de trop difficile à résoudre, et que l'échec de ses tentatives avait brisé et découragé.

Ola s'installa dans l'herbe à côté de lui.

« Il y a une chose dont je voulais te parler, dit Ola. Tu sais que j'avais une fille mais qu'elle est morte l'an dernier et que sa présence nous a toujours manqué sous la tente. Alors j'ai envisagé de prendre un autre enfant à mes côtés. Ne penses-tu pas que ce serait une bonne chose ?

— Cela dépend de quel enfant il s'agit, Ola.

— Laisse-moi te raconter ce que je sais sur cette fille, Jon », dit Ola.

Et il raconta alors au pêcheur que vers la Saint-Jean deux enfants, un garçon et une fille, étaient arrivés à pied pour rechercher leur père et que, comme l'homme avait quitté la ville, ils étaient restés là-bas à l'attendre. Mais un jour le garçon avait été tué par un coup de dynamite.

« Et cette fille, elle est de ton peuple, je suppose ?

— Non, dit Ola, elle n'appartient pas au peuple des Sames.

— Alors, je crois qu'elle ne pourra pas rester auprès de toi, dit le pêcheur. Elle ne supportera certainement pas d'habiter dans vos huttes en hiver si elle ne l'a pas déjà fait étant petite.

— Dans notre hutte, en tout cas, elle aura de bons parents et de bons frères et sœurs, dit Ola avec assurance. La solitude est bien pire que le froid.

— Mais tu me disais qu'elle avait un père à Malmberget ? dit le pêcheur.

— Il est mort, dit sèchement le Lapon.

— Tu es bien sûr de ce que tu affirmes, Ola ?

— C'est évident, dit le Lapon avec dédain. Cette fille et son frère auraient-ils été obligés de parcourir tout le pays à pied si leur père avait été vivant ? Deux enfants auraient-ils été obligés de subvenir eux-mêmes à leurs besoins s'ils avaient eu un père ? La fille, elle, est persuadée qu'il vit encore, mais moi je dis qu'il doit être mort. »

L'homme aux yeux las se tourna vers Ola.

« Comment s'appelle-t-elle, Ola ? »

L'homme des montagnes réfléchit.

« Je ne m'en souviens pas, dit-il. Je lui demanderai.

— Tu lui demanderas ? Est-elle donc déjà ici ?

— Elle attend là-haut dans la tente, oui.

— Comment ça, Ola ! Tu l'as déjà prise avec toi avant de savoir ce que veut son père ?

— Je n'ai pas à m'occuper de son père. S'il n'est pas mort, il doit être de ceux qui ne veulent pas de leurs enfants. Il devrait être content que quelqu'un d'autre s'en charge. »

Le pêcheur jeta sa canne et se leva, soudain plein d'énergie, comme si une nouvelle vie avait jailli en lui.

« Son père est peut-être hanté par de sinistres pensées, au point de ne pas pouvoir supporter son travail, reprit l'homme des montagnes. Quel intérêt pour elle d'avoir un père comme ça ? »

Tandis qu'Ola parlait, le pêcheur avait remonté la berge.

« Où vas-tu ? demanda le Lapon.

— Je voudrais voir ta fille adoptive, Ola. »

Le Suédois marcha d'un pas si rapide que le Lapon put à peine le suivre. Au bout d'un moment, Ola dit à son camarade :

« Ça me revient : elle s'appelle Åsa Jonsdotter, cette petite que je veux adopter. »

L'autre ne fit que hâter le pas, et le vieux Ola Serka était tellement heureux qu'il aurait voulu éclater de rire. Quand ils furent en vue des huttes, Ola dit encore quelques mots :

« Elle est montée chez les Sames pour rechercher son père, et non pas pour devenir ma fille adoptive, mais si elle ne devait pas trouver son père, je la garderais bien sous ma tente. »

Lorsque Söderberg retraversa le lac plus tard le même jour, il avait à son bord deux êtres assis serrés l'un contre l'autre sur le banc et qui se tenaient fermement par la main comme si plus jamais ils n'avaient voulu être séparés. C'était Jon Assarsson et sa fille. Tous deux n'étaient plus ce qu'ils avaient été quelques heures auparavant : Jon Assarsson avait l'air moins voûté et moins fatigué, et ses yeux lumineux scintillaient de bonté, comme s'il avait enfin trouvé la réponse à ce qui l'avait oppressé durant si long-temps. Quant à Åsa la gardeuse d'oies, elle ne regar-dait plus autour d'elle de l'air sage et attentif qu'elle avait eu autrefois. Elle venait de trouver une grande personne sur laquelle s'appuyer et en laquelle avoir confiance, et c'était comme si elle avait été en train de redevenir une enfant.

25

Vers le sud ! Vers le sud !

Premier jour de voyage

Samedi 1ᵉʳ octobre.

Le garçon était assis sur le dos du jars blanc et cara-
colait haut dans le ciel. Trente et une oies sauvages
en bon ordre volaient rapidement vers le sud. Le vent
bruissait dans les plumes et toutes ces paires d'ailes
fouettaient l'air avec un sifflement tel qu'on pouvait
à peine entendre sa propre voix.

Les premières semaines, l'envie de s'en aller n'était
jamais venue au garçon. Il estimait n'avoir jamais
connu un pays aussi beau et agréable, où son seul
souci avait été d'empêcher les nuées de moustiques
de le dévorer. Le garçon n'avait pas beaucoup vu
Martin jars, le grand blanc étant en effet perpétuel-

lement en train de surveiller Douce-Plume et ne la quittait pas d'un pas. Mais, par contre, il allait souvent voir la vieille Akka et Gorgo l'aigle, et tous les trois avaient passé de belles heures ensemble. Ces deux oiseaux l'avaient emmené faire de longues excursions.

Un jour, Akka l'avait conduit vers une des grandes villes minières, et il avait découvert le petit Mats gisant inanimé et blessé au bord d'un puits de mine. Les jours suivants, le garçon avait fait tout son possible pour qu'Åsa la gardeuse d'oies pût retrouver son père mais, cela fait, ne pouvant l'aider plus, il avait préféré rester dans la vallée perdue. Et, depuis, il attendait avec impatience le jour où il retournerait chez lui avec Martin jars et pourrait redevenir humain. Sa seule envie était de redevenir tel qu'Åsa pût lui parler sans lui claquer la porte au nez.

Oui, maintenant que sa route menait vers le sud, il était heureux.

En route pour la mer

Vendredi 7 octobre.

Depuis le début de leur voyage d'automne, les oies sauvages avaient volé droit vers le sud mais, en quittant la vallée du Fryken, elles obliquèrent pour se diriger vers le Bohuslän, par l'ouest du Värmland et le Dalsland.

« Tu sais, Martin jars, dit un jour le garçon tandis qu'ils volaient haut dans le ciel, ça sera certainement très monotone pour nous de rester à la maison tout l'hiver après avoir vécu un voyage comme celui-ci. Et je suis en train de me dire que nous ferions mieux de suivre les oies sauvages à l'étranger.

— Tu ne parles pas sérieusement ! » s'exclama le jars qui parut tout effrayé car, depuis qu'il avait prouvé qu'il était capable de suivre les oies sauvages jusqu'en Laponie, il ne demandait pas mieux que de retrouver le coin des oies dans l'étable d'Holger Nils-son.

Le garçon garda un moment le silence en regardant sous ses pieds le Värmland dont les forêts de bouleaux, les bois de feuillus et les jardins étaient revêtus de leurs couleurs automnales, jaunes et rouges, encadrant les lacs d'un bleu ciel.

« Je crois que jamais la terre au-dessous de nous n'a été aussi belle qu'aujourd'hui, dit-il. Et toi, Martin ? Tu ne crois vraiment pas qu'il sera difficile de ne plus jamais voir quelque chose d'aussi beau ? dit le garçon.

— J'aime mieux voir les champs gras de Söderslätt que ces maigres collines, répondit le jars. Mais sache que, si tu tiens absolument à poursuivre ce voyage, je ne t'abandonnerai pas.

— C'est bien la réponse que j'espérais », dit le

garçon, et l'on entendit à sa voix qu'il venait d'être délivré d'un gros souci.

Vers l'ouest, les oies sauvages virent une bande lisse dont la largeur augmentait à chaque coup d'ailes. C'était la mer, qui s'étendait blanche et laiteuse, scintillant à la fois en rose et en bleu ciel et, quand elles passèrent au-dessus des falaises de la côte, elles aperçurent de nouveau le soleil droit devant elles, large et rouge et prêt à s'enfoncer dans les vagues.

Et, tandis que le garçon contemplait cette mer libre et infinie, ce soleil couchant rouge qui brillait d'un éclat si doux qu'il pouvait le regarder en face, il sentit son âme pénétrée de paix et de sérénité.

« Pas la peine d'être triste, Nils Holgersson, disait le soleil. Le monde est un merveilleux endroit pour vivre, aussi bien pour les petits que pour les grands. C'est merveilleux aussi d'être libre et insouciant et d'avoir tout l'espace ouvert devant soi. »

Le cadeau des oies sauvages

Pour se reposer, les oies sauvages s'étaient arrêtées sur un petit îlot en face de Fjällbacka. Mais, lorsque minuit approcha et que la lune fut haute dans le ciel, la vieille Akka secoua sa tête pour chasser le sommeil de ses yeux et alla ensuite réveiller Yksi et Kaksi,

Kolme et Neljä, Viisi et Kuusi. Pour finir, elle donna un léger coup de bec à Poucet pour le réveiller.

« Que se passe-t-il, mère Akka ? dit-il en se levant tout effrayé.

— Il n'y a pas de danger, répondit l'oie de tête. C'est simplement que nous, les sept plus vieilles du troupeau, nous avons envie d'aller faire un tour en mer cette nuit, et que nous nous demandions si tu voudrais nous accompagner. »

Le garçon comprit aussitôt qu'Akka n'aurait pas fait une telle proposition s'il ne s'agissait pas de quelque chose d'important, et il grimpa sans tarder sur son dos. Le cap fut mis droit vers l'ouest. Les oies sauvages survolèrent d'abord une ligne d'îles basses et rocheuses et l'on voyait au clair de lune que leur façade ouest avait été polie par les vagues. Akka chercha l'un des plus petits îlots et se posa.

Quand le garçon mit pied à terre, il vit à côté de lui quelque chose qui ressemblait à une haute pierre pointue. Mais très vite il se rendit compte que c'était un gros oiseau de proie qui avait choisi ce récif pour passer la nuit. À peine eut-il le temps de s'étonner que des oies sauvages se soient si imprudemment posées à côté d'un ennemi aussi dangereux que l'oiseau s'approcha d'eux d'un seul bond, et qu'il reconnut Gorgo l'aigle.

Manifestement Akka et Gorgo s'étaient fixé rendez-vous ici, puisque ni l'un ni l'autre ne paraissait étonné de se retrouver.

Le garçon était en train de contempler quelques jolis coquillages mais, lorsque Akka mentionna son nom, il leva les yeux.

« Tu as dû te demander, Poucet, pourquoi nous avons quitté la bonne direction pour venir ici, sur la mer de l'Ouest, dit Akka. Il y a de nombreuses années de cela, moi-même et deux autres de celles qui maintenant sont des anciennes du troupeau, fûmes balayées par une tempête durant notre voyage de printemps et rejetées sur ces écueils. Nous nous posâmes sur les vagues. Pendant plusieurs jours la tempête nous força à rester coincées entre ces pauvres rochers où nous souffrions cruellement de faim. Un moment, alors que nous étions venues dans cette crevasse pour chercher de quoi manger mais ne trouvions pas la moindre herbe, nous découvrîmes quelques sacs en toile, bien fermés et à moitié enfouis dans le sable. Mais, à notre grande surprise, ce ne fut pas du grain qui en coula mais des pièces d'or brillantes. Cela ne nous était d'aucune utilité à nous autres, oies sauvages, et nous les abandonnâmes par conséquent où elles se trouvaient. Pendant des années jamais nous n'avons repensé à cette trouvaille, mais cet automne quelque chose s'est passé qui fait que nous aimerions avoir de l'or. Nous pensons peu probable que le trésor existe encore, mais nous sommes venues jusqu'ici pour te demander de voir ce qu'il en est. »

Le garçon sauta au fond de la crevasse. Il ne trouva

pas de sac mais, lorsqu'il eut creusé assez profond, il entendit un tintement métallique et vit qu'il avait touché une pièce d'or. Il tâtonna dans le sol et sentit que le sable était plein de pièces d'or, alors il remonta vite auprès d'Akka.

« Les sacs ont pourri et sont tombés en morceaux, dit-il, si bien que les pièces sont éparpillées dans le sable, mais je crois que tout l'or y est encore.

— Tant mieux, dit Akka. Rebouche le trou maintenant, et arrange le sable de sorte que personne ne puisse voir qu'on l'a touché ! »

Le garçon s'acquitta de la tâche mais, lorsqu'il remonta sur le rocher, il fut surpris de découvrir Akka en tête des six oies sauvages dont la file s'approchait de lui très solennellement. Après s'être arrêtées devant lui, elles inclinèrent plusieurs fois le cou et firent cela si cérémonieusement qu'il dut ôter son bonnet et saluer à son tour.

« Il se trouve, dit Akka, que nous qui sommes vieilles, nous sommes dit que si toi, Poucet, tu avais été au service des humains et tu leur avais fait autant de bien que tu nous en as fait, ils ne se sépareraient pas de toi sans te rémunérer dignement.

— Ce n'est pas moi qui vous ai aidées, dit le garçon. C'est plutôt vous qui vous êtes occupées de moi.

— Nous avons aussi estimé, reprit Akka, qu'un être humain qui nous a suivies durant tout notre voyage ne devrait pas nous quitter aussi pauvre que le jour où il nous a rejointes.

— Je sais que ce que j'ai appris auprès de vous cette année vaut plus que n'importe quel bien ou que de l'or, dit le garçon.

— Puisque ces pièces d'or se trouvent toujours dans cette crevasse après tant d'années, il est certain qu'elles n'appartiennent à personne, dit l'oie meneuse, et j'estime que tu peux les prendre.

— N'était-ce pas vous qui aviez besoin d'or ? demanda le garçon.

— Si, nous en avions besoin pour pouvoir t'offrir un salaire qui permettra à ton père et à ta mère de penser que tu as travaillé comme gardeur d'oies chez des gens honnêtes. »

Le garçon se détourna légèrement, jeta un regard vers la mer et regarda ensuite droit dans les yeux brillants d'Akka.

« Je trouve étrange, mère Akka, que vous me congédiiez et me donniez mon salaire avant que j'aie moi-même signifié mon congé, dit-il.

— Tant que nous autres oies sauvages nous attarderons en Suède, je me plais à penser que tu resteras avec nous, dit Akka. Mais je désirais te montrer où se trouvait ce trésor puisque nous pouvions y passer sans faire un trop long détour.

— Après tous ces bons moments que nous avons passés ensemble, dit Poucet, je trouve qu'il ne serait pas trop de vous demander de vous accompagner à l'étranger.

— Voilà une chose à laquelle je n'avais pas pensé,

dit Akka. Mais avant de te décider à nous suivre, il faut que tu saches que, lorsque nous avons quitté la Laponie, Gorgo et moi nous sommes mis d'accord pour qu'il aille chez toi, en Scanie, afin d'essayer d'obtenir de meilleures conditions de la part du tomte sur ton compte.

— Oui, dit Gorgo, mais je n'ai pas eu beaucoup de chance. J'ai eu vite fait de trouver la maisonnette d'Holger Nilsson et, après avoir plané quelques heures au-dessus de la ferme, j'ai aperçu le tomte qui se faufilait entre les bâtiments. Je me suis immédiatement jeté sur lui et l'ai emmené jusqu'à un champ pour que nous puissions discuter tranquillement. Je lui ai dit que j'étais envoyé par Akka de Kebnekaïse pour lui demander s'il ne voulait pas octroyer de meilleures conditions à Nils Holgersson. "Je le voudrais bien, m'a-t-il répondu, car j'ai entendu dire qu'il s'est très bien comporté pendant le voyage. Mais cela est hors de mon pouvoir." Alors, je me suis fâché et lui ai dit que je n'hésiterais pas à lui crever les yeux s'il ne fléchissait pas. "Tu peux faire de moi ce que tu veux, a-t-il dit, mais tout sera quand même comme je l'ai annoncé à Nils Holgersson. Mais tu peux lui dire qu'il ferait mieux de rentrer avec son jars, car les choses tournent mal ici, à la ferme. Holger Nilsson a été obligé de payer une caution pour son frère en qui il avait tant confiance. Et puis aussi, il a acheté un cheval avec de l'argent emprunté, mais le cheval s'est mis à boiter dès le premier jour et, depuis, il n'en a tiré aucun profit. Oui, dis à Nils Holgersson que ses parents ont déjà été obligés de vendre deux vaches et qu'ils devront quitter leur ferme si personne ne leur vient en aide !" »

Quand le garçon entendit cela, il fronça les sourcils et il crispa si fort ses mains qu'elles en blanchirent.

« Ce tomte est bien cruel, dit-il, d'avoir posé une condition telle que je ne peux pas rentrer aider mes parents. Mais il ne réussira pas à faire de moi quelqu'un qui trahit ses amis. Père et mère sont des gens honnêtes, et je sais qu'ils préféreraient se passer de mon aide que de me voir revenir avec une mauvaise conscience. »

26

Chez les Nilsson

Jeudi 3 novembre.

Akka mena les oies plus au sud, jusqu'à la grande plaine de Scanie, déroulant partout ses cultures. Dans les champs de betteraves les ramasseurs avançaient en longues files. Ailleurs, c'étaient des fermes basses aux murs blanchis à la chaux, construites en carré autour d'une cour, d'innombrables petites églises blanches, quelques horribles usines de sucre grises, et de véritables petites villes autour des gares ferroviaires. Il y avait aussi des tourbières, avec de longs alignements de piles de tourbe, des mines de houille avec leurs tas de charbon noir. Les routes avançaient entre des rangées de saules taillés en têtards, les voies ferrées s'entrecroisaient en un dense réseau quadrillant la plaine. Par-ci, par-là, de petits lacs entourés de hêtres scintillaient, chacun orné de son joli manoir.

« Regardez en bas maintenant ! Ouvrez bien les yeux ! cria l'oie meneuse. Voilà à quoi ressemble l'étranger, de la côte de la mer Baltique jusqu'aux très hautes montagnes, et nous ne sommes jamais allées au-delà. »

Après avoir montré la plaine aux oisons, l'oie meneuse se dirigea vers la côte du Sund. Des prés humides descendaient lentement vers l'eau, et de longs bancs de varech noirci rejeté par la mer striaient les plages. Le sable, poussé par le vent, for-mait parfois de hautes dunes et parfois de larges étendues bosselées. Les ports de pêche se dressaient sur la côte, faits de leurs petites maisons en brique toutes semblables, avec un petit phare en bout de jetée et des filets bruns suspendus aux séchoirs.

« Regardez en bas, maintenant ! Ouvrez bien vos yeux ! dit Akka. Voilà à quoi ça ressemble sur les côtes de l'étranger. »

Pour finir, l'oie de tête survola aussi quelques-unes des villes, hérissées de minces cheminées d'usine et creusées de rues profondes entre de hautes maisons noircies par la fumée, ponctuées de jolis parcs de promenade, avec leurs vieilles fortifications, leurs châteaux et leurs églises d'autrefois, et leurs ports remplis de navires.

« Voilà à quoi ressemblent les villes à l'étranger, mais en plus grand, dit l'oie de tête. Mais celles-ci pousseront sans doute, comme vous ! »

Lorsque Akka se fut ainsi promenée, elle se posa dans une tourbière du canton de Vemmenhög. Et le garçon ne put s'empêcher de penser que ce jour-là elle avait largement survolé la Scanie dans le but de lui montrer que c'était là une région qui pouvait se mesurer avec n'importe quelle autre dans le monde. Mais cela avait été inutile, le garçon ne se souciait pas de savoir si le pays était riche ou pauvre. Depuis qu'il avait aperçu la première ligne de saules têtards et la première maison basse à colombage, la nostalgie lui tenaillait le cœur.

Mardi 8 novembre.

C'était une journée au temps brumeux et lourd. Les oies sauvages se reposaient après le repas lorsque Akka vint voir le garçon.

« On dirait que le temps va rester calme pendant un moment, dit-elle, et je crois que nous allons en profiter pour traverser la Baltique demain.

— Ah, bon », dit très brièvement le garçon dont la gorge se noua et qui ne put en dire davantage.

Il avait quand même espéré être libéré de l'enchantement tandis qu'il se trouvait en Scanie.

« Nous devons être assez près de Västra Vemmenhög maintenant, dit Akka. Et je me disais que tu aimerais peut-être passer un moment chez toi, car ensuite tu ne reverras pas les tiens avant longtemps.

— Je crois que nous devrions nous en abstenir », dit le garçon mais sa voix trahissait que la proposition lui plaisait.

L'instant d'après, l'oie de tête et lui-même étaient en route pour la ferme de Holger Nilsson.

« Je me demande si ton père possède un fusil, dit soudain Akka.

— Oui, il en a un, dit le garçon. C'est justement à cause de ce fusil que je suis resté à la maison au lieu d'aller à l'église ce dimanche-là.

— Alors, je n'ose pas rester ici à t'attendre, dit Akka. Le mieux serait que tu nous rejoignes à Smygehuk très tôt demain matin, comme ça, tu pourras rester chez toi pendant la nuit.

— Non, ne partez pas tout de suite, mère Akka ! » dit le garçon en sautant vivement à bas du muret.

Il n'aurait su dire pourquoi, mais il avait la sensation que quelque chose allait arriver à l'oie sauvage ou à lui-même qui les empêcherait de se revoir.

« Vous voyez certainement à quel point je suis triste de ne pas retrouver ma véritable nature, poursuivit-il. Mais je voudrais vous dire que je ne regrette pas de vous avoir suivies au printemps dernier. Non, je préférerais ne plus jamais redevenir un homme que de ne pas avoir fait ce voyage. »

Akka chercha plusieurs fois son souffle avant de répondre.

« Si tu as appris des choses utiles en notre compagnie, Poucet, tu dois certainement penser maintenant que les humains ne sont pas les seuls à avoir le droit d'être sur terre, dit solennellement l'oie meneuse. Dis-toi que vous possédez un grand pays et que vous auriez certainement les moyens de nous laisser, à nous autres pauvres animaux, quelques îlots dénudés, quelques lacs peu profonds, tourbières humides, montagnes isolées ou forêts éloignées, où nous pourrions vivre en paix ! Durant toute ma vie j'ai été poursuivie et chassée. Ce serait bon de savoir qu'il existe aussi un refuge pour quelqu'un comme moi.

— J'aurais évidemment été très heureux de pouvoir vous aider à réaliser ce désir, dit le garçon. Mais je ne disposerai probablement jamais d'aucun pouvoir parmi les humains.

— Holà ! Mais c'est que nous sommes en train de parler comme si nous n'allions jamais nous revoir, dit Akka, alors que nous nous revoyons demain. Maintenant, il est temps que je retourne auprès des miens. »

Et elle déploya ses ailes, mais pour revenir passer plusieurs fois son bec le long de Poucet, avant de se décider à partir.

Le garçon gagna immédiatement l'étable car il savait que les vaches le renseigneraient mieux que quiconque. À l'intérieur, un triste spectacle l'attendait. Au printemps, elle avait été occupée par trois bêtes magnifiques mais, maintenant, il ne restait plus qu'une seule vache. Elle gardait la tête penchée et avait à peine touché au foin posé devant elle.

« Bonjour, Rose de Mai ! dit le garçon en courant sans crainte dans la stalle. Comment vont papa et maman ? Comment vont le chat et les oies et les poules, et qu'as-tu fait d'Étoile et de Lys d'Or ? »

Le Nils Holgersson qui était parti au printemps dernier avait eu la démarche lourde et lente, une voix traînante et des yeux assoupis, mais celui qui revenait était vif et agile, sa voix était vive et ses yeux alertes et brillants. Il se tenait si bien qu'il inspirait le respect. En dépit de sa petite taille et du fait qu'il avait l'air d'être lui-même malheureux, quiconque le regardait se sentait heureux.

« Meuh, meugla Rose de Mai. Ils disaient que tu avait changé mais je n'arrivais pas à y croire. Bienvenue à la maison, Nils Holgersson ! Bienvenue à la maison. Voilà bien ma première joie depuis longtemps.

— Je te remercie, Rose de Mai ! dit le garçon tout réjoui d'un aussi bon accueil. Maintenant, racontemoi comment vont père et mère !

— Ils n'ont eu que des soucis depuis que tu es parti, dit Rose de Mai. Le pire, c'est le cheval qui a coûté si cher et qui a dû rester immobile tout l'été à ne faire que manger. Ton père n'arrive pas à se décider à le tuer, et personne ne veut l'acheter. C'est à cause du cheval qu'Étoile et Lys d'Or sont parties d'ici. »

Le garçon, en vérité, voulait savoir autre chose, mais il était trop gêné pour le demander carrément. C'est pourquoi il tourna sa question autrement :

« Mère a dû être bien triste quand elle a vu que Martin jars s'était envolé ?

— Je ne crois pas qu'elle aurait tant pleuré le jars si elle avait su comment ça s'est passé lorsqu'il est parti. Maintenant elle se plaint surtout de son propre fils qui est parti en emmenant le jars.

— Elle croit donc que j'ai volé le jars ? s'exclama le garçon.

— Que pourrait-elle penser d'autre ?

— Papa et maman doivent s'imaginer que j'ai passé l'été à errer comme un vagabond.

— Ils imaginent que les choses vont mal pour toi, dit Rose de Mai. Et ils te pleurent comme on pleure quand on a perdu ce qu'on avait de plus cher. »

Dès qu'il eut appris cela, le garçon se rua hors de l'étable et entra dans l'écurie. À l'intérieur se trouvait un grand et beau cheval qui resplendissait presque de bonne santé.

« Holà de l'écurie ! dit le garçon. J'ai entendu dire qu'il y avait un cheval malade par ici. Ce n'est quand même pas toi, qui as l'air si bien portant ? »

Le cheval tourna la tête et regarda attentivement le garçon.

« C'est toi, le fils de la maison ? dit-il. J'ai entendu

raconter tant de mal de lui. Mais toi, tu as l'air si gentil que jamais je n'imaginerais que tu puisses être ce gaillard si je ne savais pas qu'il a été transformé en tomte.

— Je sais bien que j'ai laissé dans cette ferme une sinistre réputation, dit Nils Holgersson. Ma propre mère pense que je me suis enfui comme un voleur, mais tout cela m'est égal car je ne resterai pas longtemps ici. Avant de partir, pourtant, j'aimerais savoir ce que tu as.

— Quelque chose s'est coincé dans mon pied, la pointe d'un couteau ou je ne sais quoi, mais qui est si bien enfoncée que le maréchal n'a pas su la trouver. Si tu pouvais dire à Holger Nilsson ce que j'ai, je suis sûr qu'il pourrait facilement m'aider. Et je serais heureux de pouvoir enfin me rendre utile. J'ai vraiment honte de rester ici à manger sans travailler.

— Heureusement que tu ne souffres pas d'une véritable maladie, dit Nils Holgersson. Je vais essayer de m'arranger pour qu'on te guérisse. Ça ne t'ennuie pas si je dessine un peu sur ton sabot, là, avec mon couteau ? »

Nils Holgersson venait à peine d'achever de s'occuper du cheval quand il entendit des voix dans la cour. Il poussa un peu la porte de l'écurie et regarda dehors. C'étaient son père et sa mère qui remontaient le chemin menant à la maison. On voyait tout de suite qu'ils étaient préoccupés. Le visage de sa mère était bien plus ridé qu'avant et les cheveux de son père étaient devenus gris. Mère était en train de dire à père qu'il devait essayer d'obtenir un prêt de son beau-frère.

« Non, je ne veux plus emprunter d'argent, dit son père tandis qu'ils passaient devant l'écurie. Rien n'est plus difficile à supporter qu'avoir des dettes. Il vaut mieux vendre la maison.

— Je m'en débarrasserais sans regrets, dit la mère, si ce n'était pour notre garçon. Où ira-t-il s'il rentre un jour, pauvre et misérable comme on peut s'attendre à le voir revenir, et que nous ne soyons plus là ?

— Oui, tu as bien raison, dit le père. Mais nous pourrons demander à ceux qui nous remplaceront de l'accueillir avec gentillesse et de lui dire qu'il est le bienvenu chez nous. Nous ne lui adresserons pas le moindre reproche, quel que soit son état, n'est-ce pas, mère ?

— Oh non ! Si seulement je l'avais devant moi, que je puisse être sûre qu'il ne souffre pas de la faim et du froid sur les routes, je ne me soucierais de rien d'autre. »

Là-dessus, père et mère entrèrent et le garçon ne put plus suivre leur conversation. Il était si ravi et ému d'avoir entendu à quel point ils l'aimaient, qu'il aurait voulu se précipiter vers eux.

Tandis qu'il hésitait ainsi, une voiture arriva et s'arrêta devant le portail. Le garçon faillit pousser un cri d'étonnement car ceux qui en descendirent et entrèrent dans la cour ne pouvaient être qu'Åsa la gardeuse d'oies et son père. Quand ils furent à peu près au milieu de la cour, Åsa arrêta son père et lui dit :

« Souviens-toi bien, papa, que tu ne dois rien dire au sujet du sabot et des oies et du tomte qui ressemblait tant à Nils Holgersson que si ce n'était pas lui il devait en tout cas avoir un rapport avec lui.

— Non, sois tranquille, dit Jon Assarsson. Je vais simplement leur dire que leur fils t'a aidée à plusieurs reprises, et que c'est la raison pour laquelle nous sommes venus voir aujourd'hui si nous ne pouvons pas leur rendre un service en remerciement. »

Ils entrèrent dans la maison, et le garçon aurait bien voulu entendre de quoi ils parlaient, là, à l'intérieur, mais il n'osa pas sortir dans la cour. Ils ne restèrent cependant pas longtemps et, quand ils ressortirent, père et mère les accompagnèrent jusqu'au portail. Et c'était étonnant à quel point ils paraissaient heureux maintenant. On aurait dit qu'on leur avait insufflé une nouvelle vitalité.

Les visiteurs partis, père et mère restèrent à la grille et suivirent leur départ.

« Eh bien, maintenant j'en ai fini d'être triste, dit la mère. Maintenant que j'ai entendu dire tant de bien de Nils.

— Ils ne nous en ont pas dit tant que ça, dit le père, circonspect.

— N'est-ce pas suffisant qu'ils soient venus exprès

pour dire qu'ils voulaient nous aider parce que notre Nils leur avait rendu de grands services ? Moi, je trouve que tu aurais dû accepter leur offre.

— Non, mère, je ne veux accepter d'argent de personne, ni comme cadeau ni comme prêt. Je veux commencer par me libérer de mes dettes.

— J'ai l'impression que tu te réjouis de vendre cette ferme pour laquelle nous avons tant travaillé, dit la mère.

— C'était de savoir notre garçon perdu qui me pesait si fort, que j'en devenais comme impuissant, dit le père, mais maintenant que je sais qu'il est en vie et qu'il a bien tourné, alors tu vas voir que Holger Nilsson est encore bon à quelque chose ! »

La mère entra dans la maison, mais le garçon se hâta de se cacher dans un coin, car son père venait vers l'écurie. Il entra dans la stalle du cheval et, comme d'habitude, prit sa patte pour essayer de voir ce qui n'allait pas.

« Mais qu'est-ce que c'est que ça ? dit le père, qui venait de voir quelques lettres gravées sur le sabot. Sortez le fer du pied ! lut-il alors avant de regarder autour de lui, sidéré, mais il entreprit quand même vite d'examiner et de tâter le dessous du sabot. Eh, mais en effet, il me semble bien qu'il y a là quelque chose de pointu », murmura-t-il au bout d'un moment.

Tandis que le père s'occupait du cheval et que le garçon restait blotti dans un coin de l'écurie, il advint que d'autres visiteurs se présentèrent à la ferme. Lorsque Martin jars, en effet, s'était senti si près de son ancien foyer, il n'avait pas résisté à l'envie de présenter ses anciens camarades de la ferme à sa femme et à ses enfants et, tout simplement, il avait entraîné Douce-Plume et les oisons et arrivait là.

Lorsqu'ils eurent visité la cour, il remarqua que la porte de l'étable était ouverte.

« Suivez-moi par ici, dit-il, et vous allez voir où j'habitais autrefois ! C'était autre chose que de dormir dans les tourbières ou les marécages comme nous le faisions en ce moment. »

Planté sur le seuil, le jars regardait à l'intérieur de l'étable.

« Il n'y a aucun humain ici, dit-il. Viens, Douce-Plume, viens voir le pacage des oies ! N'aie pas peur ! On ne risque rien ! »

Alors, le jars, Douce-Plume et les six oisons au complet entrèrent droit dans le box des oies pour voir dans quel faste et quel luxe le grand blanc avait vécu avant de fréquenter les oies sauvages.

« Eh oui, voilà à quoi ça ressemblait. Là, c'était ma place, et là se trouvait le seau qui était toujours rempli d'avoine et d'eau, dit le jars. Attendez voir, mais c'est qu'il y reste encore à manger ! »

Et, sans perdre de temps, il se précipita sur le seau et commença à becqueter de l'avoine.

Mais Douce-Plume restait inquiète.

« Sortons ! dit-elle.

— Rien que quelques grains encore ! » dit le jars qui, une seconde après, poussa un cri et se précipita vers la sortie.

Mais il était trop tard ! La porte avait claqué. Dehors, la maîtresse repoussait la clenche[1], ils étaient enfermés !

Le père venait de retirer un morceau de fer acéré de la sole[2] du cheval et, ravi, était en train de le flatter lorsque la mère arriva dans l'écurie.

« Viens vite, père ! Viens voir ce que je viens d'attraper ! dit-elle.

— Non, attends une minute, mère ! regarde ça d'abord ! dit le père. Je viens enfin de découvrir ce qu'avait notre cheval.

— J'ai l'impression que la chance commence à nouveau à nous sourire, dit la mère. Tu sais, quand le grand jars a disparu, au printemps, eh bien il a dû suivre des oies sauvages ! Il vient de revenir ici, en compagnie de sept oies sauvages. Ils sont entrés dans le box et je les y ai tous enfermés.

— Voilà qui est étonnant, dit Holger Nilsson. Et sais-tu, mère, ce qui me réjouit le plus ? C'est que nous n'avons plus à penser que notre gars a emmené le jars avec lui quand il est parti.

— Oui, tu as bien raison, père. Mais je crains que nous ne soyons obligés de les tuer dès ce soir. La

---

1. Pièce qui sert à fermer une porte, poignée.
2. Dessous du sabot d'un cheval.

Saint-Martin[1] n'est que dans quelques jours et nous devons nous dépêcher si nous voulons avoir le temps de les vendre en ville.

— Je trouve quand même dommage de tuer ce jars qui revient avec tant d'autres oies, dit Holger Nilsson.

— Si les temps avaient été différents, nous l'aurions gardé en vie, mais puisque nous-mêmes allons quitter cet endroit, inutile de garder des oies.

— Oui, tu as raison.

— Alors viens m'aider à les porter dans la maison », dit la mère.

Ils sortirent et, quelques instants plus tard, le garçon vit son père arriver avec Douce-Plume et Martin jars, chacun sous un bras, et il suivit sa mère dans la maison. Le jars, bien sûr, ne savait pas que le garçon était dans les parages mais, comme d'habitude quand il était en danger, il cria :

« Poucet, à l'aide ! »

Nils Holgersson l'entendit bien, mais il demeura près de la porte de l'écurie. Il restait là parce que pour sauver le jars il fallait qu'il se montre à père et mère, et cela il l'appréhendait plus que tout. « Les choses vont suffisamment mal comme ça, pensa-t-il. Inutile de leur causer un tel chagrin ! »

---

1. Le jour de cette fête, le 10 novembre, en Scanie, la région la plus au sud de la Suède, on fait rôtir une oie qu'on accompagne d'une soupe noire, au sang d'oie.

Mais lorsque la porte se referma sur le jars, le garçon réagit. Il bondit à travers la cour, sauta sur la planche de chêne devant l'entrée et entra dans le vestibule. Là, par habitude, il retira ses sabots et s'approcha de la porte. Mais il craignait encore tant de se montrer à ses parents qu'il n'eut pas le courage de lever la main pour frapper à la porte. « C'est de Martin jars qu'il s'agit, pensa-t-il alors, de celui qui a été ton meilleur ami depuis l'instant où tu étais ici pour la dernière fois. » Et, l'espace d'une seconde, il se souvint de tout ce que le jars et lui-même avaient enduré sur les lacs gelés, sur la mer dans la tempête et parmi les bêtes carnassières. Son cœur se gonfla de gratitude et d'amour, il surmonta toutes ses craintes et frappa à la porte.

« Quelqu'un veut entrer ? dit père en ouvrant.

— Maman, ne touche pas au jars », cria le garçon et, au même moment, le jars et Douce-Plume, qui étaient attachés sur un banc, poussèrent un cri de joie qui lui apprit qu'ils étaient encore en vie.

Mais une autre aussi poussa un cri de joie, ce fut sa mère.

« Oh, comme tu es devenu grand et beau ! » s'exclama-t-elle.

Le garçon n'était pas entré dans la pièce, il demeurait sur le seuil, comme quelqu'un qui ne sait trop quel accueil on lui réserve.

« Dieu merci ! Te voilà revenu chez nous ! dit sa mère. Entre ! Entre !

— Sois le bienvenu », dit son père, et il ne sut rien dire d'autre.

Mais le garçon tardait encore sur le pas de la porte. Il n'arrivait pas à comprendre qu'ils soient si heureux de le voir tel qu'il était. Mais à ce moment sa mère arriva et l'entoura de ses bras et le tira dans la pièce, et alors il se rendit compte de ce qui s'était passé.

« Maman, papa ! Je suis grand, je suis de nouveau un homme ! » cria-t-il.

27

L'adieu aux oies sauvages

Mercredi 9 novembre.

Le lendemain matin, le garçon se leva avant l'aube et se dirigea vers la côte. Le jour n'était pas encore levé qu'il se trouva ainsi sur la plage, légèrement à l'est du port de pêche de Smyge. Il était seul. Il était passé voir Martin jars dans son box et avait essayé de le réveiller. Mais le grand blanc n'avait pas voulu s'en aller de chez lui. Il n'avait pas dit un mot, avait simplement remis sa tête sous son aile, et s'était rendormi.

La journée promettait d'être belle. Le temps était presque aussi beau qu'en cette journée de printemps où les oies sauvages étaient arrivées en Scanie. La mer s'étendait, calme et immobile. L'air ne bougeait pas, et le garçon pensa que les oies sauvages allaient avoir un temps idéal pour la traversée.

Il ressentait encore une sorte de vertige. Un moment il s'imaginait encore tomte et, un autre, se sentait humain. Apercevant un muret de pierre le long de la route, il avait eu peur de continuer sans s'être assuré qu'aucune bête carnivore l'attendait derrière. Et l'instant d'après il avait ri de lui-même, heureux d'être grand et fort et de n'avoir rien à craindre.

Arrivé sur la côte, il se dressa de toute sa taille au bord de l'eau, pour que les oies puissent l'apercevoir. C'était un grand jour de migration, constamment des appels parcouraient le ciel. Il sourit un peu pour lui-même en pensant que personne d'autre ne comprenait mieux que lui ce que ces oiseaux se disaient.

Bientôt, des oies sauvages commencèrent à arriver. Les vols se suivaient, comptant tous de nombreux oiseaux. « J'espère que ce ne sont pas mes oies qui partent sans me dire au revoir ! » pensa-t-il. Car il avait très envie de leur raconter comment tout s'était passé et de leur montrer qu'il était redevenu humain.

Un troupeau arriva, qui volait plus vite et qui criait plus fort que les autres, et quelque chose lui dit que ce devait être ce troupeau-là. Mais il ne put le reconnaître avec autant de certitude qu'il l'aurait fait la veille.

Le troupeau ralentit et longea plusieurs fois la côte dans un sens et dans l'autre. Alors le garçon comprit que c'était le bon. Il n'arrivait seulement pas à comprendre pourquoi les oies sauvages ne se posaient pas à côté de lui. Là où il se tenait, il était impossible qu'elles ne l'aient pas vu.

Il essaya de pousser un cri d'appel pour les faire venir. Mais sa langue ne voulut pas lui obéir ! Il n'arrivait pas à obtenir le son correct.

Là-haut dans le ciel il entendit Akka crier, mais il ne comprit pas ce qu'elle disait. « Que se passe-t-il ? Les oies sauvages auraient-elles changé de langage ? » se demanda-t-il.

Il leur fit signe avec son bonnet, et il courut le long de la plage en criant :

« Je suis là, où es-tu ? »

Mais cela sembla les effrayer. Elles s'élevèrent et partirent au-dessus de la mer. Alors enfin il comprit ! Elles ne savaient pas qu'il était redevenu humain. Elles ne le reconnaissaient pas.

Et il ne pouvait plus les appeler, parce qu'aucun être humain ne sait parler le langage des oiseaux. Il ne savait plus le parler, il ne savait plus le comprendre.

Bien qu'heureux d'avoir été délivré de l'enchantement, il trouva amer d'avoir été ainsi séparé d'aussi bons compagnons. Il s'assit donc dans le sable et enfouit son visage dans ses mains. À quoi bon continuer de les suivre du regard ?

Mais peu après il entendit un bruit d'ailes. La vieille Akka avait trouvé trop difficile d'abandonner

Poucet, et elle était revenue voir encore une fois. Et maintenant que ce garçon ne bougeait plus, elle avait osé l'approcher. Et, soudain, elle avait dû se rendre compte de qui il était. Elle se posa sur la butte juste à côté de lui.

Le garçon poussa un cri de joie et serra la vieille Akka dans ses bras. Les autres oies sauvages passèrent leur bec sur lui tandis qu'elles se bousculaient pour l'approcher. Elles caquetaient et discutaient et lui exprimaient leurs cordiales félicitations, et lui aussi leur parla et les remercia du merveilleux voyage qu'il avait pu faire en leur compagnie.

Mais, brusquement, les oies sauvages devinrent étonnamment calmes et s'éloignèrent de lui, comme si elles avaient voulu dire : « Hélas, il est un humain maintenant ! Il ne nous comprend pas, nous ne le comprenons pas. »

Alors, le garçon se releva et s'approcha d'Akka. Il la caressa et la flatta. Puis il fit de même avec Yksi et Kaksi, Kolme et Neljä, Viisi et Kuusi, les anciennes qu'il avait connues dès le début.

Puis il remonta la plage vers la terre ferme, car il savait bien que le chagrin des oiseaux ne dure jamais longtemps, et il voulait les quitter pendant qu'ils étaient encore tristes de l'avoir perdu.

Quand il fut sur la dune, il se retourna et admira les nombreux vols d'oiseaux qui filaient au-dessus de la mer. Tous lançaient leur appel, un seul troupeau d'oies sauvages, pourtant, vola en silence tant qu'il put le suivre des yeux.

Mais leur vol était régulier, le V bien dessiné, la vitesse correcte, et les coups d'ailes énergiques et puissants. Et le garçon ressentit une telle nostalgie en regardant ainsi celles qui s'en allaient qu'il souhaita presque être à nouveau Poucet, celui qui avait pu survoler la terre et la mer en compagnie d'un vol d'oies sauvages.

Qui n'a jamais rêvé de voler ? Se faire tout petit et se blottir entre les ailes d'un oiseau, survoler tous les paysages de son pays et le découvrir sous un jour tout à fait nouveau... ce doit être fabuleux, non ? C'est ce qui arrive à Nils Holgersson, et son histoire a fait rêver des centaines de milliers de Suédois et... d'enfants de tous les pays. Il faut dire que Selma Lagerlöf, l'auteur de cette magnifique histoire, a choisi une façon originale de raconter la géographie aux jeunes lecteurs de son pays : elle décrit les champs et les rivières, les lacs dont la glace dégèle et les forêts en direct ! Et puis la géographie, c'est aussi l'histoire : ces champs, ces lacs et ces forêts ont été modelés par l'homme, et Selma Lagerlöf s'appuie sur toute une série de légendes et d'événements que les Suédois connaissent et aiment à se raconter : la légende des rats noirs contre les rats gris ; l'histoire de la vieille dame si triste et si seule de voir partir ses enfants pour un pays lointain – épisode que bien des Suédois ont vécu au XIXᵉ siècle, lors de la famine. Il n'est pas facile de voler sur le dos d'un jars, comme on peut se l'imaginer... Et là-haut, il fait froid, le vent souffle, le brouillard empêche d'y voir, et tant de dangers attendent Nils et ses amis. Mais la raison pour laquelle l'histoire de Nils nous transporte encore plus, c'est que non seulement on voyage avec lui, mais on grandit en sa compagnie. Il surmonte toute une série d'épreuves, il apprend à connaître une quantité de gens qu'il n'aurait jamais rencontrés dans une vie normale, et on a bien envie de faire comme lui : d'être un petit peu différent de ce qu'on était lorsqu' on commençait la lecture de cette histoire. C'est encore mieux que l'école et les parents pour devenir grand, non ?

Table

TABLE

« Pour l'éditeur, le principe est d'utiliser des papiers composés de fibres natu-
relles, renouvelables, recyclables et fabriquées à partir de bois issus de forêts qui
adoptent un système d'aménagement durable. En outre, l'éditeur attend de ses
fournisseurs de papier qu'ils s'inscrivent dans une démarche de certification
environnementale reconnue. »

Composition Jouve – 53100 Mayenne
Nº 301525f
Achevé d'imprimer en Espagne par LIBERDÚPLEX
Sant Llorenç d'Hortons (08791)

32.10.2546.3/03 - ISBN : 978-2-01-322546-5
Loi nº 49-956 du 16 juillet 1949 sur les publications destinées à la jeunesse
Dépôt légal: juillet 2009